LE JARDIN

L'Atelier du Bois

LE JARDIN

Réalisation d'objets

et de meubles en bois

KÖNEMANN

Titre original : *Traditional woodworking – The garden*

Copyright © 1999 pour l'édition française
Könemann Verlagsgesellschaft mbH
Bonner Str. 126, D-50968 Cologne

Traduction : Sylvie Fontaine
Réalisation : Bookmaker, Paris
          Consultant : Joël Thiesset
          Mise en pages : Jean-Claude Marguerite
Lecture : Pierre Chavot
Chef de fabrication : Detlev Schaper
Impression et reliure : Sing Cheong Printing Co. Ltd.
Imprimé à Hong Kong, Chine

ISBN 3-8290-2170-4

10 9 8 7 6 5 4 3 2 1

SOMMAIRE

INTRODUCTION

L E MAGAZINE *Traditionial Woodworking* présente chaque mois des objets et des meubles d'un design classique, artisanat de haute qualité, dont la réalisation est expliquée par des menuisiers. La collection « L'Atelier du Bois » a sélectionné leurs meilleures créations. *Le jardin* présente douze projets originaux à réaliscr soi-même, destinés à tous ceux qui se passionnent pour le bricolage et le travail du bois, amateurs ou déjà expérimentés.

Lorsque l'on meuble son intérieur, le jardin figure rarement sur la liste des priorités. La triste conséquence en est que les jardins les plus soignés sont dépréciés par la présence de meubles ou d'accessoires en plastique : ils jaunissent avec le temps et basculent au moindre coup de vent. Vous n'en voudriez pas chez vous, alors pourquoi les mettre dans votre jardin ?

Les projets présentés dans cet ouvrage essaient de couvrir tous les aspects de la vie de jardin. Pour les jardiniers, nous proposons le panier (p. 26) ; vous trouverez également, pour la serre, une étagère escamotable pour les herbes aromatiques (p. 60) ainsi que trois sortes de jardinières. Pour les jardins plus vastes, les menuisiers pourront fabriquer la pergola en pin (p. 42) ou l'abri de jardin (p. 36) – projet qui représente d'ailleurs un vrai test d'habileté en matière de charpenterie. Pour les moments de détente, nous proposons une sélection de fauteuils (p. 54), de bancs (p. 30) et de tables de pique-nique (p. 68).

Outils et matériaux

La plupart de ces projets nécessitent moins de finitions que ceux des salons ou salles à manger, cependant il est indispensable d'être équipé de bons outils. Les appareils électriques (perceuse, scie sauteuse, défonceuse et rabot) sont essentiels, bien que la plupart des créations ci-après soient réalisables avec des outils manuels.

Vous devrez prêter une attention particulière au choix de votre bois, car pour les meubles d'extérieur les besoins sont différents. Un bois dur comme le teck est en l'occurrence idéal, mais il est relativement coûteux. Pensez-y avant de vous décider. Il existe de nombreuses essences exotiques, disponibles sur le marché, qui sont durables et solides ; vous pouvez également vous tourner vers des essences indigènes, comme le chêne et le hêtre. Les résineux constituent une autre alternative, surtout si l'objet est à l'abri durant les périodes pluvieuses et hivernales. Il devra cependant être traité soigneusement avec le produit adéquat. D'autres projets, comme la pergola (p. 42), l'abri de jardin (p. 36) et la cabane à oiseaux (p. 16), sont en permanence dehors ; ils demanderont de ce fait davantage de précautions lors des finitions.

Note : Dans les fiches de matériaux, les bois rabotés (bois massif) sont identifiés par leur section (largeur x épaisseur) et vendus au mètre (longueur). Les panneaux (de particules, de fibres, de latté ou en contre-plaqué), sont vendus au mètre carré (largeur x longueur) et repérés par leur épaisseur. Leurs dimensions sont dotées d'un astérique ; dans ce cas, l'avant-dernière colonne indique la largeur sur la longueur et la dernière colonne, l'épaisseur.

À gauche :
*cette table
de pique-nique
pliante (p. 68)
au design élégant,
peut se ranger
facilement
durant les mois
d'hiver.*

Finitions

Lorsque vous traitez le bois contre les intempéries, il ne s'agit pas que de la pluie mais aussi du soleil et de la moisissure. L'humidité fait cloquer le bois et le rend plus vulnérable aux attaques biologiques ; le soleil, quant à lui, a tendance à décolorer le bois et à en dégrader la surface.

Sur le marché est disponible une large gamme de produits qui permettent de traiter et protéger parfaitement les bois d'extérieur avec des teintures ou des vernis à bois neutres ; il existe aussi des revêtements hydrofuges performants disponibles dans une palette de couleurs étendue, ainsi que des produits spécialement conçus pour le bois mal équarri. Si vous prenez toutes les précautions d'usage pour préserver vos meubles et autres réalisations de jardins, vous pourrez en profiter de longues années. Afin de vous épauler jusqu'aux finitions, le dernier chapitre de cet ouvrage propose des solutions détaillées au traitement des bois en extérieur (p. 74-77).

La plupart des jardins, petits ou grands, seront joliment mis en valeur par n'importe lequel de ces projets. Ils sont tous relativement faciles à réaliser et procureront du plaisir à vous-même, à votre famille et à vos amis.

À droite :
le panier classique du jardinier (p. 26) est le détail indispensable à tout jardin qui se respecte.

JARDINIÈRE VERSAILLAISE

La traditionnelle jardinière versaillaise constitue l'accessoire indispensable pour décorer votre jardin. Réalisée dans du bois dur plutôt que dans un résineux, cette version est rectangulaire, mais il est tout à fait possible de la construire dans un format carré (voir p. 48).

Les panneaux de la jardinière s'ajustent précisément
dans les rainures entaillées dans les traverses et les pieds.

11

1 Rabotez les quatre montants du piétement avec un rabot électrique et finissez avec un rabot manuel. Les tasseaux devront mesurer 55 mm au carré et 465 mm de long; prévoyez cependant 19 mm en plus pour les pointes supérieures. À l'aide d'une équerre métallique, vérifiez l'équarrissage (perpendicularité des faces) de chaque montant.

2 Repérez l'emplacement des mortaises hautes et basses. Maintenez les montants comme indiqué sur la photo et servez-vous de votre équerre pour marquer toutes les faces. Le bas de la mortaise inférieure ainsi que le haut de la mortaise supérieure se situent respectivement à 70 mm du bas et du haut des montants de piétement. La largeur totale de l'ensemble des traverses (hautes et basses) et des panneaux latéraux est de 315 mm.

3 Entaillez des mortaises de 8 mm de large dans deux faces de chaque pied. Elles doivent se rencontrer au centre du montant. Faites une rainure profonde de 10 mm entre les mortaises pour y emboîter les panneaux. Servez-vous pour cette opération d'une défonceuse équipée d'une lame de 6 mm d'épaisseur.

4 Afin de renforcer l'assemblage, et de lui assurer ainsi une durée de vie plus longue, percez des trous dans les mortaises en vue de cheviller l'assemblage. Le perçage devra pénétrer jusqu'à 10 mm au-delà de la face arrière de la mortaise.

5 Vous pouvez au choix donner aux têtes de pieds de la jardinière une forme en pointe ou en arrondi, mais, par souci de simplicité, taillez un biseau de 15° à la main ou avec une scie sauteuse. Poncez ensuite les pieds; il sera en effet plus difficile d'atteindre les recoins une fois les éléments assemblés.

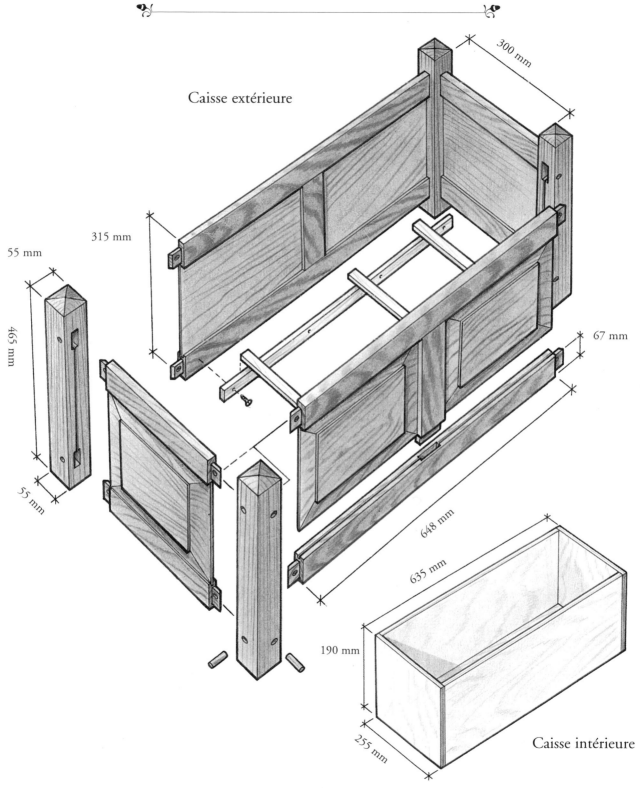

Caisse extérieure

300 mm

315 mm

55 mm

465 mm

67 mm

55 mm

648 mm

635 mm

190 mm

255 mm

Caisse intérieure

13

6 Sciez les traverses à 710 mm de long et épaulez des tenons de 30 mm à chaque extrémité. Vous pouvez commencer la découpe des tenons à la main en vous servant d'un étau pour maintenir le bois à 45° sur l'établi.

7 Ensuite, retournez la traverse et sciez un angle similaire de l'autre côté, puis sciez définitivement le tenon. Étant donné que les tenons se rencontreront au centre de chaque pied, taillez en onglet les extrémités à 45°.

8 Coupez les deux montants centraux de panneaux à la longueur de 241 mm. Tracez la position des mortaises sur chaque traverse de support, et épaulez les tenons suivant le même modèle que les étapes 6-7. Entaillez les rainures des panneaux sur le chant intérieur de chaque traverse à l'aide d'une défonceuse équipée d'une lame de 6 mm.

9 Sciez les panneaux. Servez-vous d'un rabot manuel ou d'une défonceuse équipée d'une fraise pour façonner un chant plat de 45 mm sur chaque face de panneau.

10 Assemblez les éléments à l'aide d'un maillet en vous assurant que toutes les pièces s'emboîtent. Faites ensuite les derniers ajustements.

11 Positionnez un poinçon dans la partie tenon-mortaise de l'un des pieds, et marquez un avant-trou dans le tenon. Ensuite, déboîtez l'assemblage tenon-mortaise et percez un avant-trou de 4 mm dans le tenon ; rassemblez et terminez le perçage comme sur l'illustration. Reproduisez l'opération sur les autres pieds.

12 Servez-vous d'une colle hydrofuge pour assembler les faces avant et arrière avec les faces latérales de la jardinière. Vérifiez l'équerrage. Assemblez tous les éléments, encollez les tenons, enfoncez les chevilles préalablement enduites d'une goutte de colle. Rabotez ce qui dépasse, et poncez.

MATÉRIAUX *(les dimensions correspondent à la découpe)*			
ÉLÉMENTS	NOMBRE	LARGEUR X ÉPAISSEUR LARGEUR X LONGUEUR*	LONGUEUR ÉPAISSEUR*
Bois dur/bois blanc ou résineux traité pour les pieds	4	55 x 55 mm	1 963 mm
Bois dur/bois blanc ou résineux traité pour les traverses de supports et celles de centre de panneau	8 2	67 x 21 mm	4 762 mm
Contre-plaqué pour les panneaux	6	181 x 1 800 mm*	19 ou 10 mm*

* voir note p. 7

Confection de la caisse intérieure

Elle sert à protéger la jardinière. Pour sa construction, prenez du contre-plaqué d'extérieur de 19 ou 15 mm, et découpez une base légèrement plus petite que celle de la jardinière. Un assemblage de type rainure-languette ou par tourillons est parfait pour mainte- *nir ensemble les quatre côtés et la base. Pour maintenir la caisse, vissez un tasseau de 35 x 19 mm sur chaque traverse longitudinale inférieure de la jardinière et posez dessus trois autres petits tasseaux de support.*

CABANE À OISEAUX

*Cette cabane à oiseaux classique sera très décorative dans votre jardin
et attirera sans aucun doute tous les oiseaux des environs.
Elle est entièrement construite en contre-plaqué et ne nécessite aucun assemblage.*

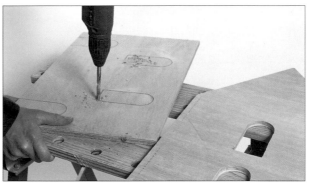

1 Tracez et découpez les façades latérales de 460 mm de long et 305 mm de large. Coupez les faces avant et arrière ainsi que la cloison de 510 mm de long et 305 mm de large. Sur les panneaux de face avant et arrière, marquez le milieu du petit côté haut, sur les grands côtés placez un point à 305 mm du bas, reliez les trois points ainsi repérés, et découpez les triangles ainsi obtenus. Faites de même pour la cloison ; ces chutes seront réutilisées pour les équerres supports de corniche. Vérifiez que la pente du toit est la même sur les trois faces.

2 Les fausses portes et fenêtres font 115 mm de haut et 50 mm de large. La découpe sera arrondie sur la partie haute. Découpez quatre trous dans chaque partie latérale, deux pour les portes à 50 mm des bords extérieurs et deux pour les fenêtres à 150 mm de la base et à 125 mm des bords extérieurs. Percez un trou de 10 mm de diamètre dans le coin de chacune des ouvertures les plus hautes pour y insérer la lame de la scie sauteuse.

3 À l'aide de la scie sauteuse, découpez les portes et les fenêtres des façades. Dessinez au centre des deux pièces restantes une fausse porte et sciez. Sur le pignon arrière de la cabane, dessinez une fenêtre située au-dessus de la porte à 150 mm de la base. Percez un trou dans l'un des angles, et découpez comme précédemment.

4 L'entrée pour les oiseaux se situe au centre du panneau avant. Avec la pointe du compas, dessinez un cercle de 38 mm de diamètre (selon les espèces d'oiseaux qu'on souhaite accueillir, ce diamètre pourra être différent). Percez un trou de 10 mm de diamètre, puis découpez à l'aide d'une scie sauteuse ou d'une scie cloche fixée sur une perceuse. Poncez les bords au papier de verre.

5 Afin d'assembler les murs de la cabane, encollez les chants des côtés, et clouez-les. Vérifiez l'équerrage des angles, et laissez sécher.

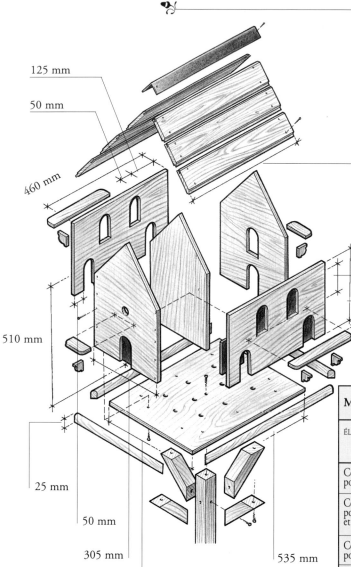

125 mm

50 mm

460 mm

510 mm

510 mm

115 mm

305 mm

38 mm

25 mm

50 mm

305 mm

356 mm

535 mm

Mise en place

Le nichoir devra se situer au moins à 2 m du sol (sécurité des oiseaux) dans un lieu abrité des vents dominants et du soleil de midi. Pour réaliser le poteau support, sciez un tasseau de 50 x 50 mm à 2 595 mm et vissez quatre tasseaux (coupés en onglet) de même section entre le poteau et le plancher de la cabane. Traitez le poteau support avec un vernis protecteur. Pour sceller l'autre extrémité du poteau dans le sol, utilisez des cailloux et du mortier dans un trou de 460 mm de profondeur ; vous pouvez aussi utiliser un potelet métallique ancré dans le sol.

MATÉRIAUX *(les dimensions correspondent à la découpe)*

ÉLÉMENTS	NOMBRE	LARGEUR X ÉPAISSEUR / LARGEUR X LONGUEUR*	LONGUEUR / ÉPAISSEUR*
Contre-plaqué extérieur (CTBX) pour les façades latérales	2	305 x 920 mm*	12 mm*
Contre-plaqué extérieur (CTBX) pour le pignon avant, l'arrière et la cloison	3	305 x 1530 mm*	12 mm*
Contre-plaqué extérieur (CTBX) pour le support	1	356 x 535 mm*	12 mm*
Contre-plaqué extérieur (CTBX) pour les balcons	4	38 x 610 mm*	12 mm*
Contre-plaqué extérieur (CTBX, chutes) pour les équerres des corniches	6	25 x 460 mm*	12 mm*
Planches à rainures et languettes (lambris)	6	100 x 12 mm	3 060 mm
Baguettes chant plat	4	25 mm	2 140 mm
Bande de bitume étanche			
Clous pour les panneaux		32 mm	

* voir note p. 7

6 Encollez les chants de la cloison, et disposez-la à 100 mm de la face avant de la cabane. Clouez-la afin de former deux « boîtes » internes.

7 Découpez six planches de lambris, et clouez-les sur la pente du toit et de la cloison en commençant par le haut et en laissant dépasser de 25 mm sur le pignon avant et le pignon arrière.

8 Fabriquez les balcons. Ceux des façades mesurent 230 x 38 mm de long et ceux des pignons avant et arrière 75 x 38 mm. Leurs bords sont arrondis. Collez-les au ras de l'ouverture inférieure des fausses fenêtres. Collez-en le centrant – le balcon de face à 25 mm de l'entrée pour oiseaux. Confectionnez deux équerres pour chaque balcon que vous collerez en dernier.

9 Enduisez la cabane d'un vernis protecteur ou d'une peinture blanche. Clouez une bande de bitume étanche le long du faîtage du toit. Afin de donner l'impression que les fausses portes et fenêtres sont ouvertes, découpez dans les chutes de contre-plaqué dix morceaux légèrement plus larges que les ouvertures, peignez-les en noir avec une peinture d'extérieur, et collez-les à l'intérieur de la cabane pour boucher les ouvertures.

10 Pour le support de la cabane, découpez un morceau de contre-plaqué de 535 x 356 x 12 mm. Ceinturez-le avec des chants plats de 25 mm d'épaisseur que vous assemblerez à coupe d'onglet à fleur du dessous de la tablette. Encollez et clouez ces baguettes. Posez la cabane à oiseaux sur le support de façon à laisser un rebord identique sur les côtés, et vissez les deux éléments ensemble (grâce à ce type d'assemblage, vous pourrez de temps à autre dévisser la cabane de son support afin de la nettoyer). Percez dans le support plusieurs trous de 25 mm de diamètre pour l'évacuation de l'eau.

TABLE OCTOGONALE

*Cette très belle table est faite dans un bois
de construction classique, soit un bois dur,
soit un résineux. Le modèle peut être adapté
pour une table à quatre ou six côtés,
voire une table ronde si vous possédez
l'outillage adéquat.*

Pour obtenir une bonne qualité de finition, la construction
des quatre traverses basses utilise un assemblage à mi-bois.

1 Coupez et rabotez chaque pied jusqu'à réaliser une section carré de 72 mm et 665 mm de longueur. Maintenez par un serrejoint, et tracez les mortaises des entretoises à 100 mm en partant du bas de chaque pied.

2 Sur les extrémités supérieures des piétements, sciez les épaulements des tenons sur 19 mm de hauteur. La largeur du tenon centré est égale au tiers de la section du pied. Il est conseillé de numéroter chaque pied pour faciliter l'assemblage.

3 Avec un ciseau à bois, creusez des mortaises de 50 mm de large et 45 mm de profondeur dans les pieds pour l'assemblage des traverses basses. Percez au centre de chaque mortaise des trous de 10 mm de diamètre destinés à recevoir des chevilles en bois.

4 Équarrissez quatre chevrons de 50 x 72 mm pour les traverses haute et basse, et taillez les deux éléments des traverses basses à une longueur de 700 mm. À l'aide d'un trusquin et d'une équerre métallique, tracez sur chacune de ces traverses l'emplacement de l'assemblage à mi-bois, et évidez à l'aide d'un ciseau à bois. Assurez-vous que l'assemblage s'emboîte. Découpez un tenon de 50 x 45 mm à l'extrémité de chaque chevron des traverses basses.

5 Donnez aux chevrons des traverses hautes une longueur de 880 mm. À l'aide d'un modèle découpé dans du carton, tracez à l'extrémité de chaque chevron des traverses hautes un arrondi de 50 mm, et sciez-le à l'aide d'une scie à chantourner (à ruban ou sauteuse). À la limite de cet arrondi, sur la face inférieure, entaillez les mortaises destinées à recevoir les tenons du piétement.

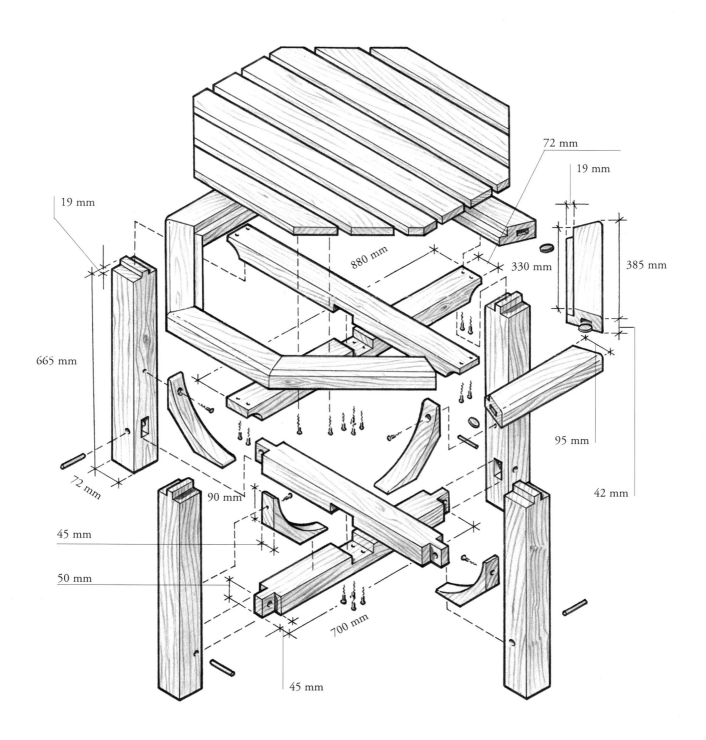

72 mm

19 mm

19 mm

665 mm

880 mm

330 mm

385 mm

72 mm

90 mm

95 mm

42 mm

45 mm

50 mm

700 mm

45 mm

6 Percez quatre avant-trous dans l'assemblage à mi-bois de la traverse basse, encollez et vissez. Assemblez les pieds et les traverses en vérifiant que chaque morceau s'emboîte parfaitement. En vous servant des trous percés dans les montants du piétement, percez des avant-trous traversant les tenons des traverses.

7 Encollez chaque assemblage, et assemblez définitivement le piétement et les entretoises. Encollez et enfoncez au maillet les chevilles dans les pieds. Enfoncez bien les tenons en haut des montants dans les mortaises entaillées dans les traverses du plateau.

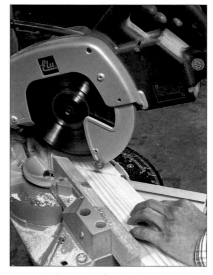

8 Confectionnez quatre jambes de force de 305 mm de longueur. À l'aide d'un modèle découpé dans du carton, dessinez ces renforts et façonnez-les à l'aide d'une scie à ruban. Collez-les sur les pieds et les traverses basses, ou percez des trous fraisés, puis vissez.

9 Pour le plateau, préparez un gabarit à échelle réelle dans un panneau de fibres agglomérées (médium MDF) de 95 mm de largeur. Pour effectuer la taille du biseau, coupez l'un des chants à 330 mm et l'autre à 385 mm. Reportez sur du bois blanc ou résineux raboté de 42 mm d'épaisseur et sciez.

10 Taillez sur la face intérieure de chaque morceau une feuillure de 19 mm pour y emboîter les lattes du plateau. Ce procédé vous permettra de couper chaque pièce avec précision, que ce soit à la main ou à l'aide d'une scie sauteuse.

11 À l'aide du matériel approprié (de type Lamello – genre de scie circulaire d'une épaisseur identique à des lamelles en forme de biscuit), taillez deux engravures à l'extrémité de chaque morceau formant l'octogonal de la table, ou bien coupez des languettes de contre-plaqué à l'aide d'une scie à ruban, et taillez ensuite des rainures à l'aide d'une défonceuse de sorte que cette rainure ne débouche pas sur les chants. Encollez et assemblez les languettes, et intercalez des cales martyres au niveau des assemblages de la ceinture.

12 Tracez sur les rebords du plateau l'emplacement des lattes en les espaçant de 25 mm. Alignez-les. Posez-les de façon symétrique sur la ceinture du plateau, et servez-vous-en comme modèle pour tracer la coupe des extrémités des lattes. Reportez le trait sur les lattes, coupez et rabotez. (La hauteur de la feuillure de ceinture doit être de la même épaisseur que les lattes.) Percez deux avant-trous à l'extrémité de chaque latte afin de les fixer au rebord, et deux autres au bout de chaque traverse de plateau. Vissez la ceinture du plateau aux traverses et les lattes à la ceinture.

MATÉRIAUX *(les dimensions correspondent à la découpe)*			
ÉLÉMENTS	NOMBRE	LARGEUR X ÉPAISSEUR	LONGUEUR
Bois dur/bois blanc ou résineux traité pour les pieds	4	72 x 72 mm	2 660 mm
Bois dur/bois blanc ou résineux traité pour les traverses	4	50 x 72 mm	3 160 mm
Bois dur/bois blanc ou résineux traité pour le plateau	8	95 x 42 mm	3 080 mm
Bois dur/bois blanc ou résineux traité pour les lattes	8	75 x 27 mm	6 000 mm
Bois dur/bois blanc ou résineux traité pour les arrondis	4	90 x 45 mm	1 220 mm
Chevilles	4	10 mm de diamètre	
Vis à bois	56		

PANIER DE JARDINIER

Traditionnellement, les paniers de jardinier existent dans tous les formats, ronds ou rectangulaires.
Très utile, celui-ci peut être construit dans de bonnes chutes de bois dur ou de résineux.
Le hêtre, qui se plie facilement, est recommandé pour la confection de l'anse.

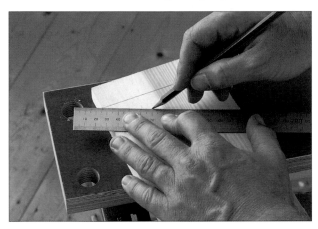

1 Tracez et coupez des morceaux de 406 mm de longueur pour les côtés et de 200 mm de long pour l'avant et l'arrière du panier. Pour obtenir une forme des côtés avant et arrière plus étroite au niveau du fond, tracez un biais de 50 mm inférieur sur chaque chant bas. Procédez à l'identique pour les grandes longueurs de côté, avec cette fois-ci un biais de 25 mm.

2 Les chants des différentes faces doivent se plaquer les uns sur les autres. Les grands côtés viennent en appui sur les panneaux avant et arrière pour un assemblage jointif des côtés et du fond entre eux; prendre la mesure des angles d'assemblage à l'aide d'une fausse équerre pour tracer le chanfrein qui, une fois raboté, permettra un assemblage précis des éléments. Pour éviter, lors du clouage du fond, une fissure longitudinale dans le côté du panier, percez trois avant-trous. Vous pouvez faire sur les faces avant et arrière un chanfrein de 6 mm afin de permettre un alignement avec le bord supérieur des grands côtés.

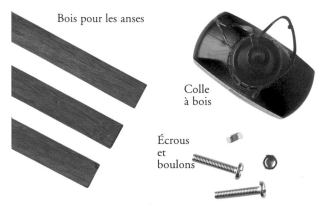

Bois pour les anses

Colle à bois

Écrous et boulons

3 Encollez les chants d'un côté et clouez. Retournez et clouez l'autre côté. Tracez et coupez pour l'anse des lamelles de 610 x 19 x 4 mm, de préférence dans du hêtre. Nous vous conseillons d'en préparer plusieurs car le cintrage à la vapeur est souvent une opération nécessitant quelques tâtonnements.

4 Remplissez partiellement une casserole d'eau, et portez-la à ébullition. Déposez délicatement une extrémité de l'anse dans l'eau bouillante, retirez-la et, protégé par des gants, exercez une pression jusqu'à ce que le bois commence à plier. Retournez et recommencez l'opération jusqu'à obtention de la forme désirée.

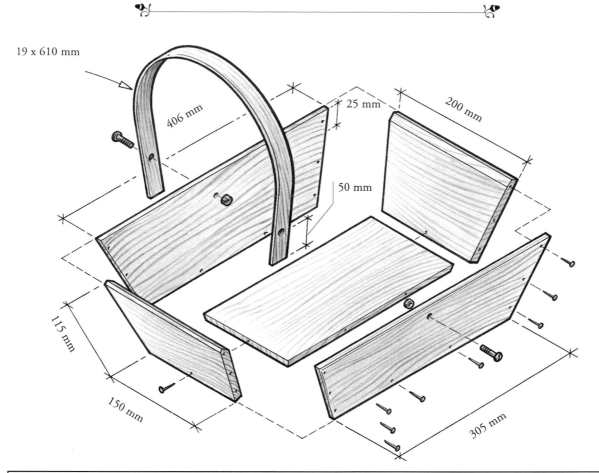

19 x 610 mm

406 mm

25 mm

200 mm

50 mm

115 mm

150 mm

305 mm

MATÉRIAUX *(les dimensions correspondent à la découpe)*			
ÉLÉMENTS	NOMBRE	LARGEUR X ÉPAISSEUR	LONGUEUR
Bois dur/bois blanc ou résineux pour les côtés	2	115 x 6 mm	812 mm
Bois dur/bois blanc ou résineux pour l'avant et l'arrière	2	115 x 12 mm	400 mm
Bois dur/bois blanc ou résineux pour le fond	1	150 x 10 mm	305 mm
Bois dur/bois blanc ou résineux pour l'anse	1	19 x 4 mm	610 mm
Boulons et écrous	2	6 mm de diamètre	
Clous en cuivre ou alliage			

5 Construisez-vous un gabarit pour maintenir les anses en position. Trempez chaque baguette dans l'eau bouillante, et insérez-les immédiatement dans votre gabarit pour séchage. N'essayez pas d'assembler l'anse avant séchage complet.

6 Confectionnez le fond dans un morceau de bois de 305 mm de largeur sur 150 mm de longueur. Chanfreinez les bords de 4 mm afin d'assurer une bonne adhésion. Vérifiez que l'ensemble s'emboîte correctement. Encollez et exercez une pression. Percez des avant-trous pour les clous, deux de chaque côté et un à chaque extrémité. Assemblez.

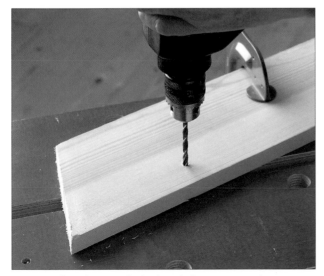

7 Tracez l'emplacement des boulons de l'anse à 50 mm des extrémités, et percez à l'aide d'une mèche de 6 mm. Tracez un trou au milieu et à 25 mm du haut des côtés du panier, puis percez.

8 Encollez l'intérieur de l'anse, et mettez-la en serrant l'écrou sur la vis. Une fois l'écrou bien serré, bloquez le boulon en coupant puis en écrasant à la lime (du type pointe carrée) le filetage sur l'écrou, pour éviter un dévissage ultérieur.

BANC ET TABLE DE JARDIN

Ce salon de plein air sera du plus bel effet dans votre jardin.
Vous pouvez indifféremment utiliser du bois dur ou un résineux en le teignant.
Ce projet est assemblé à tenons et mortaises ainsi que par tourillons.

1 Formez l'incurvé du siège sur les traverses latérales de ceinture (longueur 450 mm), et épaulez-y les tenons. Donnez la forme des traverses avant et haute (longueur 1 190 mm). Chanfreinez le chant supérieur de la traverse arrière à 14° (longueur 1 130 mm), et ajoutez deux tourillons de 12 mm aux extrémités. Réalisez les tenons des neuf lattes du dossier (longueur 390 mm). Sur la traverse arrière et la traverse haute, tracez et évidez les neuf mortaises pour recevoir les lattes. Le dossier étant incliné de 14° vers l'arrière, il vous faudra respecter cette même inclinaison des mortaises dans la traverse arrière.

2 Sciez les montants arrière pour les pieds à 460 mm de longueur, et réalisez un biais de 28° à l'extrémité; la partie complémentaire qui formera le montant de dossier à 510 mm de long sera inclinée à 14° sur l'arrière. Servez-vous de la pièce inférieure des pieds pour tracer avec beaucoup de précision l'assemblage en V sur la pièce supérieure. Nettoyez les deux pièces, encollez et assemblez en maintenant avec un serre-joint. Lorsqu'elles sont sèches, procédez à l'assemblage par tourillons de la traverse de ceinture basse, puis procédez à l'assemblage par tenons et mortaises de la traverse haute de dossier (partie haute du montant inclinée à 14°).

3 Tracez et découpez les pieds de devant à 598 mm de long. Épaulez les tenons à l'extrémité pour l'assemblage des accoudoirs, et préparez les mortaises pour les traverses de ceinture avant. Sciez les deux traverses basses latérales à 510 mm de long, ainsi que la longue traverse de devant à 1 190 mm; procédez comme pour l'assemblage du dossier (voir étape 1).

4 Coupez la traverse centrale (460 mm), formez l'incurvé du siège, et ajoutez deux chevilles à chaque extrémité, puis percez les traverses avant et arrière de ceinture pour les tourillonner. Préparez les accoudoirs (650 mm de long) et entaillez-y les mortaises dans leur face inférieure, destinée à recevoir les tenons des montants des pieds avant.

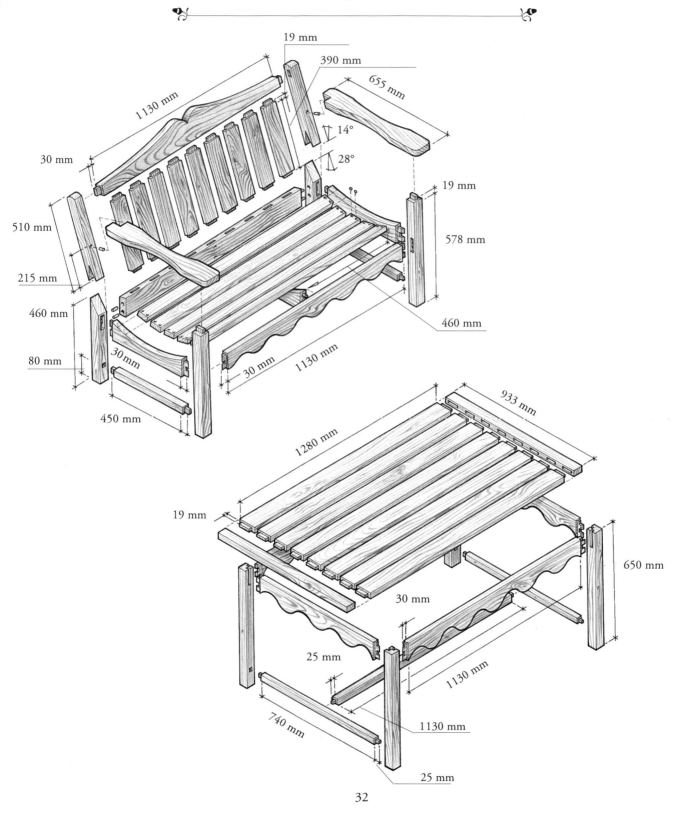

5 Coupez les cinq lattes d'assise à 1 220 mm de longueur, et percez leurs extrémités pour le passage des vis à bois. Si vous travaillez du bois dur, fraisez les trous pour cacher les têtes de vis. Démontez la structure, encollez, et maintenez le banc dans des serre-joints.

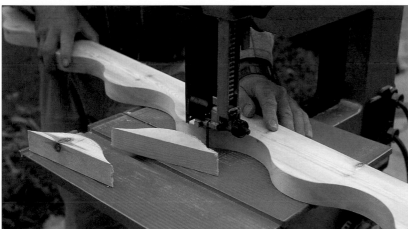

6 Tracez et coupez les pieds à 650 mm de longueur, et entaillez les mortaises des quatre traverses hautes du plateau et des deux traverses basses. Sciez les deux grandes traverses hautes (1 190 mm) et les deux plus petites (810 mm), épaulez les tenons aux extrémités et, à l'aide d'une scie à ruban ou d'une scie sauteuse, dessinez puis découpez le motif en volutes.

7 Sciez les courtes traverses inférieures (790 mm) et épaulez les tenons aux extrémités; entaillez une mortaise au centre de chacune de ces traverses. Préparez la traverse centrale basse (1 182 mm) et épaulez les tenons à chaque extrémité pour qu'ils s'emboîtent dans les mortaises des traverses latérales. Assemblez la structure.

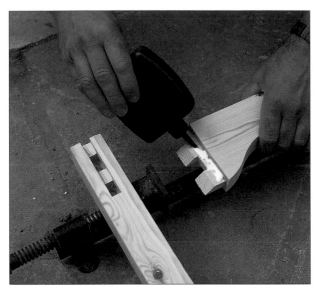

8 Vérifiez que toutes les pièces s'emboîtent correctement et que l'ensemble est d'équerre. Encollez les mortaises et les tenons, puis assemblez la structure en vous servant d'un serre-joint pour maintenir l'ensemble.

9 Pour bien vérifier l'équerrage de l'ensemble, servez-vous d'une équerre métallique pour les angles internes à 90°, et assurez-vous que les diagonales sont de même longueur.

10 Une fois la structure assemblée, sciez les huit lattes du plateau (1 320 mm) et épaulez des tenons à chaque extrémité afin qu'elles s'emboîtent dans les pièces de bordure.

11 Pour les pièces de bordure, coupez deux tasseaux de 935 mm, et entaillez des mortaises correspondant aux tenons des lattes. Assemblez le plateau et vérifiez que le tout est bien à angle droit, puis collez et maintenez serré. Laissez sécher, puis collez et assemblez le plateau avec la structure de piétement.

MATÉRIAUX *(les dimensions correspondent à la découpe)*			
ÉLÉMENTS	NOMBRE	LARGEUR X ÉPAISSEUR	LONGUEUR
BANC Bois dur/bois blanc ou résineux pour la traverse arrière	1	150 x 38 mm	1190 mm
Bois dur/bois blanc ou résineux pour les pieds arrière, les montants de dossier les pieds avant	2 2 2	50 x 50 mm	3136 mm
Bois dur/bois blanc ou résineux pour les lattes d'assise	5	75 x 25 mm	6100 mm
Bois dur/bois blanc ou résineux pour les lattes de dossier	9	75 x 19 mm	3510 mm
Bois dur/bois blanc ou résineux pour la traverse d'assise avant, traverse d'assise arrière, traverse latérale d'assise, accoudoirs, traverse centrale	1 1 2 2 1	100 x 38 mm	5160 mm
TABLE Bois dur/bois blanc ou résineux pour les pieds	4	50 x 50 mm	2600 mm
Bois dur/bois blanc ou résineux pour les grandes traverses supérieures, traverses supérieures courtes lattes	2 2 8	100 x 38 mm	14560 mm
Bois dur/bois blanc ou résineux pour les pièces de finition	2	50 x 38 mm	1870 mm
Bois dur/bois blanc ou résineux pour la traverse centrale inférieure et les traverses inférieures	1 2	38 x 38 mm	2762 mm
Tourillons		12 mm de diamètre	
Vis à bois			

Assemblage et finitions

Il est conseillé d'assembler le banc et la table en encollant les mortaises et les trous pour les tourillons. Lorsque c'est nécessaire, donnez un coup de maillet sur l'assemblage. Vérifiez toujours l'équerrage de la structure avec une équerre métallique, et mesurez bien les diagonales. Nettoyez les excès de colle à l'aide d'un chiffon humide.

Si vous souhaitez teindre le bois, faites le avant assemblage, sinon la colle, à certains endroits, pourrait empêcher la teinture de prendre correctement. Lorsque vous appliquez un vernis protecteur, assurez-vous de bien traiter les surfaces de dessous ; faites particulièrement attention au bas des pieds.

ABRI DE JARDIN

*Cet abri s'adapte en fonction de la place dont vous disposez dans votre jardin ;
vous pouvez aussi y poser davantage de fenêtres ou n'en mettre aucune.
Il ne comporte aucun assemblage, uniquement des vis et des clous.*

1 Tracez et sciez l'ossature avant et arrière de l'abri, y compris les traverses verticales et celles pour l'ouverture de la porte. Percez les avant-trous et vissez les éléments. Recommencez pour les structures latérales ainsi que pour les bâtis des fenêtres. Assemblez et vissez les quatre ossatures en vérifiant qu'elles sont bien d'équerre.

2 Préparez toutes les planches de recouvrement à bonne longueur en alignement avec les pièces de la structure. Le nombre de pièces indiqué est pour un abri à une seule fenêtre, adaptez si vous en voulez davantage. Positionnez la première planche à la base de la structure en la laissant dépasser de 25 mm.

3 Poursuivez l'opération de bas en haut, en faisant se chevaucher les planches de 25 mm. Vous pouvez vous fabriquer un gabarit pour un travail précis. Clouez les planches sur les quatre côtés de l'abri.

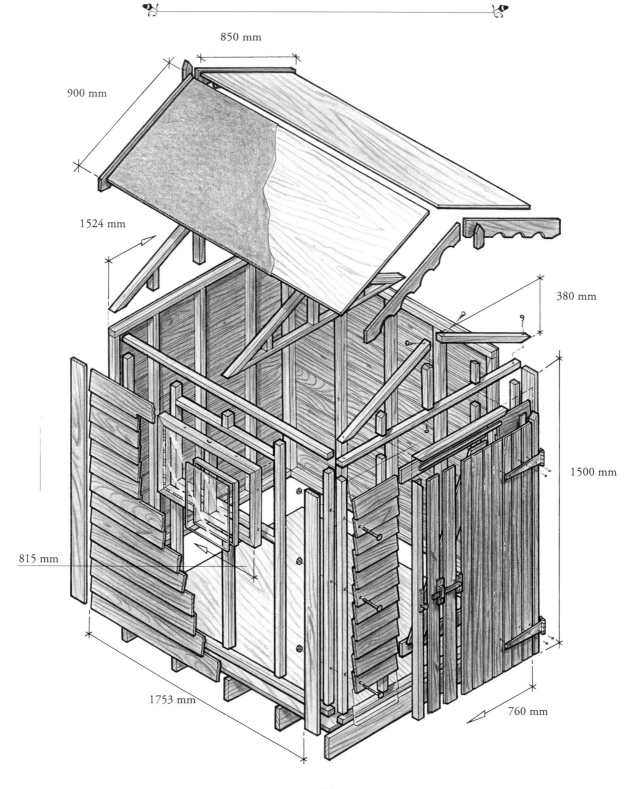

850 mm

900 mm

1524 mm

380 mm

1500 mm

815 mm

1753 mm

760 mm

4 Les pignons seront réalisés grâce à des petites fermettes. Dessinez l'épure du toit sur du contre-plaqué ainsi que les éléments des trois fermettes, puis assemblez les à onglet à leurs extrémités. Vous pouvez placer un entrait horizontal, comme sur la photo, ou des poinçons verticaux comme sur l'éclaté. Percez des avant-trous et vissez ces poinçons, l'un au centre et les deux autres au quart de la traverse inférieure.

5 Découpez les pièces des châssis de fenêtre et de porte, puis taillez à onglet les extrémités. Assemblez ces éléments entre eux, et vérifiez que l'ensemble est d'équerre et s'emboîte correctement dans l'ossature. Pour fixer le châssis de la fenêtre, tracez et percez des avant-trous dans le cadre de l'ossature qui le reçoit (trois dans les traverses et deux dans les montants).

6 Vissez le châssis de la porte et de la fenêtre, ainsi que le meneau central du bâti de fenêtre. Vissez ces châssis respectifs dans la structure de base de façon à former une feuillure d'arrêt.

7 Tracez et sciez les planches à rainures et languettes (lambris ou frise selon l'épaisseur) pour la porte en les laissant dépasser d'environ 25 mm sur l'ouverture du bâti. Assemblez et alignez à l'aide de petits coups de maillets.

8 Tracez et sciez les deux renforts horizontaux ainsi que la traverse diagonale, assemblez de sorte que la traverse forme un Z avec les deux renforts. Vissez au dos de la porte. Retournez-la, clouez les planches sur les montants, puis rabotez pour que la porte s'encastre dans son châssis. Accrochez la porte à l'aide de deux charnières en acier posées en applique.

9 Coupez les panneaux du toit à bonne longueur, et clouez-les sur la charpente. Préparez le feutre bitumé, et clouez-le sur toute la surface du toit. Sciez et assemblez à onglet les deux cimaises frontales ; donnez-leur un aspect « dentelle » à l'aide d'une scie sauteuse. Retournez le feutre bitumé sous le toit, et vissez les cimaises sur la charpente (pignons avant et arrière).

MATÉRIAUX *(les dimensions correspondent à la découpe)*			
ÉLÉMENTS	NOMBRE	LARGEUR X ÉPAISSEUR LARGEUR X LONGUEUR*	LONGUEUR ÉPAISSEUR*
Bois blanc ou résineux pour les chässis du devant, de l'arrière et latéraux	4	45 x 38 mm	45 000 mm
Bois blanc ou résineux pour les châssis de la porte et de la fenêtre, les charpentes, les blocs d'arrêt, le plancher	2 3 4 5	90 x 38 mm	31 000 mm
Bois blanc ou résineux pour les cimaises, les renforts pour la porte, la traverse de porte	4 2 1	150 x 25 mm	6900 mm
Bois blanc ou résineux pour les cales d'arrêt de la fenêtre et de la porte	7	21 x 12 mm	6750 mm
Bois blanc ou résineux pour les planches à rainures et languettes pour la porte	9	115 x 16 mm	13 500 mm
Bois blanc ou résineux pour les planches de recouvrement	75	150 x 25 mm	90 000 mm
Contre-plaqué extérieur (CTBX) pour le sol	1	1525 x 1753 mm*	12 mm*
Planches pour le toit	2	1753 x 12 mm	1700 mm
Feutre bitumé pour le revêtement du toit			
Vis à bois n° 8		50 mm	
Clous galvanisés		12 mm	
Charnières en applique	2	305 mm	
Loquet et serrure	1		

* voir note p. 7

Le sol et les finitions

Le sol est coupé directement à la bonne taille dans du contre-plaqué. L'abri sera directement posé dessus ; faites-vous aider pour cette opération. Le sol est cloué aux éléments de la structure de base.
Afin d'éviter les remontées d'humidité dans l'abri, clouez des bandes étanches de plastique sur les lambourdes de raidissement du contre-plaqué.

Positionnez ces raidisseurs à intervalles réguliers sur un sol nivelé, fixez le contre-plaqué, puis posez l'abri dessus.
L'extérieur de l'abri doit être traité contre les intempéries (voir p. 76-79). Suivez les instructions du fabricant : certains traitements peuvent être nocifs s'ils ne sont pas appliqués correctement. Vérifiez de temps à autre l'état du feutre bitumé et remplacez-le s'il commence à s'abîmer.

PERGOLA EN PIN

Cette pergola très élégante permettra à toutes sortes de plantes grimpantes de s'épanouir. Il est conseillé de choisir des morceaux de bois déjà équarris afin d'éviter d'avoir à les raboter avant de commencer les assemblages des tenons-mortaises et des diagonales.

Les diagonales sont clouées à l'ossature.

43

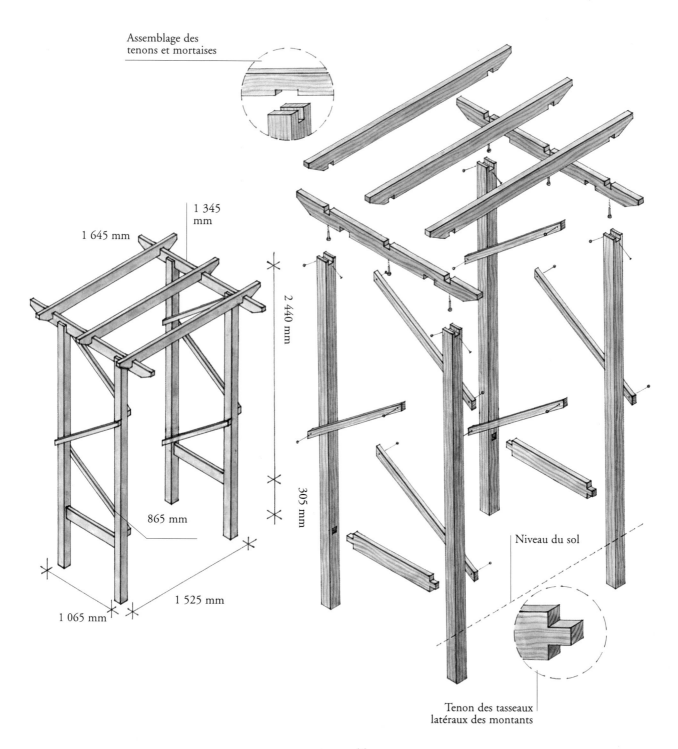

Assemblage des
tenons et mortaises

1 345
mm

1 645 mm

2 440 mm

305 mm

865 mm

1 525 mm

1 065 mm

Niveau du sol

Tenon des tasseaux
latéraux des montants

1 Pour tracez les longueurs et les points d'assemblage sur les différents éléments (sauf les tasseaux des diagonales), maintenez ceux-ci dans un serre-joint . les montants ensemble, les traverses ensemble, etc., puis tirez un trait perpendiculaire, à l'aide d'une équerre de menuisier, sur toutes les pièces. Ainsi, vous serez sûr que tous les assemblages seront au même niveau. Tracez un angle de 30° sur les traverses principales et sur les pièces perpendiculaires, puis tracez l'emplacement des traverses sur les poteaux.

2 À l'aide d'un ciseau à bois et d'un maillet, entaillez et ajustez les mortaises dans la partie inférieure des poteaux en vous assurant qu'elles sont d'équerre et nettes. Ensuite, réalisez une entaille sur la face supérieure des poteaux à l'aide d'une scie à tenon.

3 À l'aide d'une scie à tenon, creusez des entailles sur la face inférieure des traverses principales, et finissez avec un ciseau à bois. Emboîtez les mortaises et les tenons, ajustez si nécessaire, et maintenez les poteaux par paires dans un serre-joint. Faites bien attention à ce que l'ensemble des éléments de la structure supérieure (le haut des montants, les deux traverses latérales et les trois traverses supérieures) s'emboîte. Sciez et ajustez les trois (2 x 3) entailles supérieures des traverses principales ainsi que les deux (3 x 2) entailles inférieures des traverses supérieures (perpendiculaires aux traverses principales), en limitant leur profondeur à 25 mm.

4 Chanfreinez à 30° les extrémités des cinq traverses hautes et rabotez. Percez des trous fraisés sous les deux traverses principales pour les vis qui maintiendront l'assemblage avec les traverses supérieures. Encastrez en donnant de petits coups de maillet et, à l'aide d'un poinçon, tracez des avant-trous dans les traverses supérieures.

5 Démontez la structure, et percez les trous. Badigeonnez de la colle hydrofuge sur l'une des entailles de chaque assemblage. Assemblez définitivement, et vissez pour plus de sécurité.

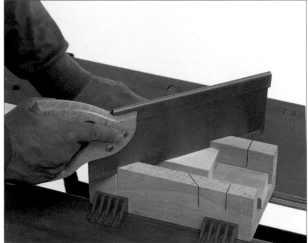

6 Démontez les poteaux qui avaient été préassemblés, encollez les tenons et assemblez définitivement. Une fois toutes les mortaises et les tenons emboîtés, maintenez l'ensemble parallèle dans un serre-joint adapté ou avec des chutes de bois.

7 Tracez l'emplacement des six diagonales se situant entre les poteaux, et taillez leurs extrémités de biais dans une boîte à coupe d'onglet. Percez des trous fraisés, et assemblez les éléments en les vissant (on peut également clouer).

MATÉRIAUX *(les dimensions correspondent à la découpe)*			
ÉLÉMENTS	NOMBRE	LARGEUR X ÉPAISSEUR	LONGUEUR
Bois dur/bois blanc ou résineux pour les montants	4	63 x 63 mm	9760 mm
Bois dur/bois blanc ou résineux pour les tasseaux latéraux des montants	2	100 x 38 mm	1370 mm
Bois dur/bois blanc ou résineux pour les traverses latérales hautes	2	100 x 38 mm	2690 mm
Bois dur/bois blanc ou résineux pour les traverses hautes	3	100 x 38 mm	4935 mm
Bois dur/bois blanc ou résineux pour les tasseaux fixés sur les montants	6	50 x 25 mm	5190 mm
Vis à tête fraisée en laiton n° 10	6		75 mm
Clous à tête ronde			

Finitions et utilisation d'un portique

Si vous utilisez du bois préalablement traité, cela vous facilitera la tâche mais risque de vous revenir cher. Les vernis protecteurs colorants donneront de l'éclat au bois : vous pouvez les passer au pinceau ou même laisser tremper les tasseaux. Faites très attention au grain du bois.

Un portique est constitué de deux longs poteaux avec une entaille (une engravure) carrée à son sommet. À l'origine, il était conçu pour donner plus de stabilité à une structure, surtout en cas de nécessité

d'un alignement précis, comme dans celui d'une pergola. Les poteaux sont enfoncés dans le sol, et une traverse est logée dans les entailles.

Selon la conception du portique, la traverse est clouée dans l'entaille ou maintenue par des écrous qui relient l'ensemble. Choisissez les traverses dont l'épaisseur correspond à la largeur des entailles des poteaux de la pergola. Vérifiez toujours que les poteaux sont verticaux avant de poser la structure supérieure et de visser cette dernière.

JARDINIÈRE CARRÉE

Cette jolie jardinière peut être construite dans n'importe quel bois dur ;
elle constitue une alternative plus durable aux pots en terre.
Vous pouvez en tourner vous-même les éléments décoratifs, ou bien les acheter présculptés.

1 Tracez et sciez les quatre pieds (460 x 45 x 45 mm). Tracez et sciez les huit traverses hautes et basses (360 x 70 x 21 mm) et les quatre traverses centrales de panneau (330 x 70 x 21 mm) ; ces douze pièces seront assemblées par tenons et mortaises. Pour les traverses centrales, vous pouvez utiliser une planche de 145 x 21 mm en la sciant dans la longueur à l'aide d'une scie circulaire avant de raboter à la largeur de 70 mm.

2 Tracez l'emplacement de deux mortaises (50 x 7 mm) dans les côtés adjacents de chaque pied. Le bord supérieur de la mortaise du haut se situe à 30 mm du haut du pied, et le bord inférieur de la mortaise du bas à 60 mm du bas du pied. Assurez la finition avec un bédane de 6,5 à 7 mm en vous assurant que les faces de la mortaise sont bien parallèles.

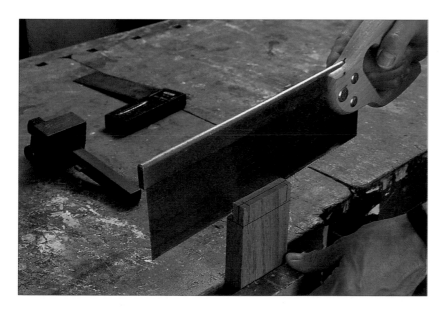

3 À l'aide d'un trusquin et d'une équerre de menuisier, tracez des tenons (50 x 7 mm) à chaque extrémité des huit traverses hautes et basses, et sur les quatre traverses centrales de panneau ; puis découpez-les avec une scie à tenon tenue à l'horizontale.

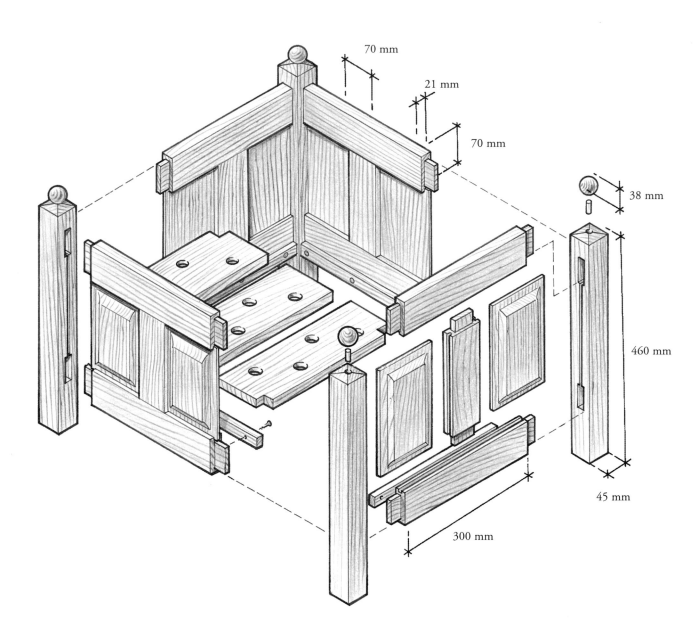

70 mm

21 mm

70 mm

38 mm

460 mm

45 mm

300 mm

4 Afin de vous assurer que les morceaux s'emboîtent convenablement, assemblez à blanc les pieds, les traverses hautes et basses ainsi que les traverses centrales de panneau, et vérifiez ensuite que la structure est parfaitement d'équerre en mesurant les diagonales, ou avec une équerre métallique. Faites les derniers ajustements sur les mortaises et les tenons à l'aide d'un ciseau à bois de 6,5 mm.

5 Préparez et sciez huit panneaux de 130 x 25 mm à 285 mm de longueur. Avec une fraise semi-circulaire placée dans une défonceuse, réalisez des plates-bandes périphériques en gardant une épaisseur de 7 mm qui puisse s'encastrer dans les rainures hautes et latérales des traverses et des pieds.

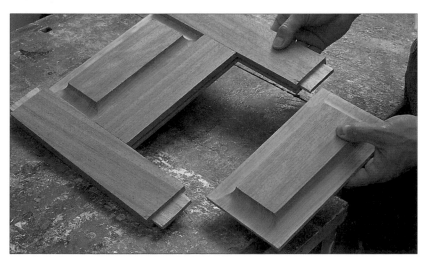

6 Démontez la structure assemblée à blanc et entaillez des rainures de 7 x 7 mm dans les côtés des traverses et des tasseaux de centre. Assemblez-les en vérifiant que les panneaux s'encastrent bien, car ils ne seront pas collés lors de l'assemblage final. Il faudra donc laisser suffisamment de jeu pour que le bois travaille.

7 Vous pouvez acheter quatre décorations sphériques prétournées de 45 mm de diamètre, ou bien les confectionner vous-même à l'aide d'un tour à bois. Dessinez un gabarit sur une pièce de contre-plaqué de 4 mm, et sciez à l'aide d'une scie sauteuse équipée d'une lame à fine denture. Fixez le morceau de contre-plaqué de dimensions 60 x 50 x 50 mm sur le tour et modelez la sphère à l'aide d'une lime à bois. Portez des lunettes protectrices durant cette tâche.

8 Sur une perceuse électrique fixée à l'établi et munie d'un disque à poncer, placez un support incliné à 10°. En appui sur ce support, poncez les extrémités supérieures des pieds afin de leur donner une forme « pyramidale », et percez des trous de 6,5 mm de diamètre à 19 mm de profondeur au centre de cette forme ainsi qu'au centre de chacune des sphères. Sciez quatre tourillons correspondants, encollez-les et fixez-les dans les emplacements prévus.

9 Tracez et sciez quatre tasseaux de 300 x 21 x 10 mm dans du bois dur pour les renforts. Placez-les à la base de chaque traverse et percez trois avant-trous dans chacun avant de les visser. Poncez toutes les pièces prêtes à être assemblées.

10 Encollez les assemblages des deux côtés opposés de la structure, et maintenez-les dans des serre-joints. Lorsque la colle est sèche, assemblez de même le reste de la jardinière, maintenez avec des serre-joints, et laissez sécher en vérifiant avec une équerre métallique que les angles sont bien à 90°. Terminez en confectionnant le fond avec trois planches (300 x 100 x 19 mm) dans du bois dur. Percez quatre trous de drainage d'un diamètre de 12 mm dans chaque planche, et posez-les sur les renforts.

Choisir et travailler le bois dur

Cette jardinière est construite dans de l'iroko, un bois dur et huileux, idéal pour les réalisations d'extérieur. (Notez que la poussière qu'il dégage est très irritante pour la peau et les poumons.) Pour les finitions, appliquez de l'huile de teck pour créer un écran protecteur et *une jolie patine (voir p. 74-77). Afin de conserver au bois sa protection et sa couleur naturelle, enduisez d'une couche d'huile de teck au moins une fois par an. Vous pouvez sinon traiter les bois durs avec deux ou trois couches d'un vernis protecteur moins gras.*

MATÉRIAUX *(les dimensions correspondent à la découpe)*

ÉLÉMENTS	NOMBRE	LARGEUR X ÉPAISSEUR	LONGUEUR
Bois dur pour les pieds	4	45 x 45 mm	1840 mm
Bois dur pour les traverses, les traverses centrales	8 4	70 x 21 mm	4200 mm
Bois dur pour les fleurons	4	45 x 45 mm	
Bois dur pour les panneaux	8	130 x 25 mm	2280 mm
Bois dur pour les tasseaux de renfort	4	21 x 10 mm	1200 mm
Bois dur pour les planches du fond	3	100 x 19 mm	900 mm
Tourillons de bois dur	4	7 mm de diamètre	150 mm
Vis à bois plaquées			

FAUTEUIL DE JARDIN

*Ce banc et ces fauteuils assortis sont constitués
d'assemblages à tenons et mortaises.
Le résultat est un ensemble solide
et agréable qui durera de longues années
s'il est bien entretenu.*

Le dossier incliné offre une assise confortable.

1 Tracez et sciez les pieds (595 mm) et les accoudoirs (565 mm). Tracez les tenons aux extrémités supérieures des pieds, et les mortaises dans les accoudoirs. Entaillez des mortaises, et épaulez les tenons. Sciez toutes les traverses de pied à 432 mm de longueur. Entaillez des mortaises de 12 mm de profondeur dans la face interne des pieds à 200 mm de leur base. Tracez et coupez des tenons de 12 mm dans les traverses de pied. Percez pour les boulons des avant-trous dans les pieds : la base inférieure du tenon du pied avant se situe à 240 mm. Pour les pieds arrière, le perçage supérieur est à 25 mm, et celui du bas à 280 mm.

2 Percez tous les trous à l'aide d'une mèche de 9 mm de diamètre. Faites deux traits de scie dans chaque tenon de pied (pour faire un tenon à clef), puis assemblez les pieds, les accoudoirs et les traverses en vous servant d'un serre-joint passé par-dessus la traverse, et d'un autre pour chaque assemblage accoudoir-pied. Vérifiez que l'ensemble est d'équerre, puis insérez délicatement des coins en bois dur dans les entailles des traits de scie des tenons du piétement. Coupez les six morceaux composant la structure latérale des différentes assises à 456 mm, ainsi que celles de devant et de derrière à 500 mm de long, puis l'avant et l'arrière de l'assise du banc à 1 100 mm.

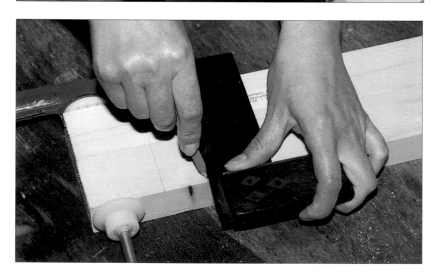

3 Coupez les montants verticaux du dossier du siège à une longueur de 575 mm, les traverses haute et basse du dossier à 450 mm, et, pour le banc, les traverses longues de support de dossier à 1 090 mm. Tracez et faites correspondre les mortaises (35 x 12 mm) du cadre d'assise et du cadre de dossier : les mortaises de face et supérieure commencent à 30 mm de la face avant et du sommet ; celles de la face arrière et inférieure commencent à 300 mm de l'extrémité des premières mortaises. Entaillez des mortaises de 38 mm de profondeur. Tracez les autres mortaises (45 x 12 mm) aux extrémités des traverses latérales de l'assise pour assurer l'assemblage avec le dossier.

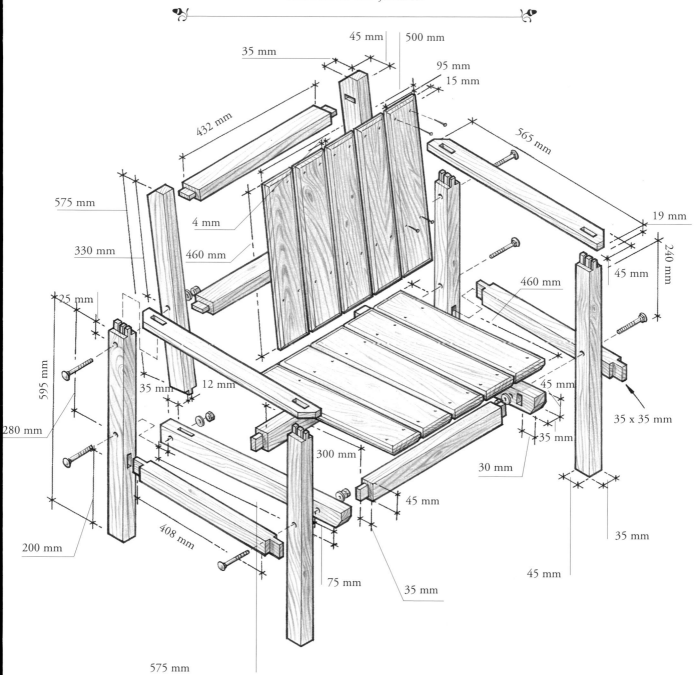

45 mm

500 mm

35 mm

95 mm

15 mm

432 mm

565 mm

575 mm

19 mm

330 mm

4 mm

460 mm

240 mm

460 mm

45 mm

25 mm

35 mm

12 mm

45 mm

35 x 35 mm

595 mm

280 mm

30 mm

35 mm

300 mm

45 mm

200 mm

408 mm

35 mm

75 mm

35 mm

45 mm

35 mm

575 mm

4 Épaulez des tenons de 38 mm sur les structures avant et arrière de l'assise et dans les traverses haute et basse du dossier. Assemblez les structures de dossier et d'assise en vérifiant l'équerrage, encollez et maintenez-les à l'aide d'un serre-joint.

5 Sciez les planches de 460 mm de long et, en laissant 4 mm entre chacune d'elles, clouez-les aux structures d'assise et de dossier. Pour fixer, utilisez deux clous métalliques à l'extrémité de chaque planche.

6 Taillez en biseau de 45° les extrémités de face des traverses d'assise, ainsi que celles des deux traverses de montant du dossier. Puis taillez un angle de 93° pour les tenons des côtés de la structure afin d'obtenir un dossier incliné de 3° vers l'arrière (voir l'éclaté). Encollez tous les assemblages et maintenez-les à l'aide d'un serre-joint assurant un angle constant. Une fois les éléments secs, assemblez avec des écrous, des rondelles et des boulons. Le jeu dans les trous prépercés n'existera plus après le serrage final.

Choisir et traiter le bois

Le choix du bois pour tout projet d'extérieur dépend souvent du prix – les résineux sont moins chers que les bois durs et parfois plus faciles à travailler. Cependant, certains bois durs nécessitent moins de traitements et d'entretien. Quel que soit votre choix, vérifiez toujours que le bois est de bonne qualité, sans fissure, sans nœuds et d'un grain uniforme ; vérifiez également qu'il ne se plie ni ne se tord dans sa longueur. La plupart des défauts sont visibles à l'œil nu en regardant le tasseau sur toute sa longueur, ainsi que son extrémité en cas de distorsion.

Les bois de charpente presque sans défaut dans cette partie sont classés dans la catégorie 1 ou dans la catégorie 2. Vous aurez davantage de garantie de réussite en prenant des matériaux de bonne qualité, même s'ils coûtent sensiblement plus chers. Si vous utilisez du bois récupéré pour sa solidité et son apparence « délavée », vous devrez en accepter les défauts, l'avantage étant que tous les problèmes liés au séchage auront été depuis longtemps résolus.

Pour un fini durable, il est conseillé de traiter toutes les parties du meuble avant d'assembler les sièges et le banc. Les pieds peuvent tremper directement dans un enduit protecteur, les autres éléments auront été enduits au pinceau. Lorsque vous utilisez un enduit protecteur, suivez toujours les instructions du fabricant. À vous de choisir (voir aussi la partie concernant les finitions, p. 74-77).

Attention : les nombres et les dimensions mentionnés dans le tableau ci-dessous correspondent à l'ensemble des éléments utilisés pour la fabrication du banc et des deux fauteuils.

MATÉRIAUX *(les dimensions correspondent à la découpe)*			
ÉLÉMENTS	NOMBRE	LARGEUR X ÉPAISSEUR	LONGUEUR
STUCTURE DE BASE Bois blanc ou résineux pour les pieds	12	45 x 35 mm	7 140 mm
Bois blanc ou résineux pour les accoudoirs	6	45 x 19 mm	3 390 mm
Bois blanc ou résineux pour les traverses de piétement	6	35 x 35 mm	2 592 mm
Bois blanc ou résineux pour les planches	42	95 x 19 mm	19 320 mm
STRUCTURE D'ASSISE Bois blanc ou résineux pour les côtés	6	45 x 35 mm	2 790 mm
Bois blanc ou résineux pour les faces avant et arrière	3 3	45 x 35 mm	4 200 mm
STRUCTURE DE DOSSIER Bois blanc ou résineux pour les côtés	6	45 x 35 mm	3 450 mm
Bois blanc ou résineux pour les traverses supérieures et les traverses inférieures	3 3	45 x 35 mm	3 980 mm
Écrous, boulons, rondelles	18	8 mm de diamètre	75 mm
Clous métalliques brillants			

JARDINIÈRE À HERBES

Cette jardinière est composée de différentes boîtes dans lesquelles pousseront toutes les variétés d'herbes.
Le plateau supérieur peut être retiré et l'étagère inférieure se rabat de façon
à pouvoir ranger la jardinière lorsqu'elle ne sert pas.

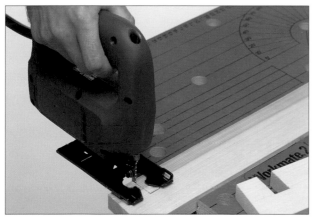

1 Tracez et sciez les planches de ceinture avant et arrière du plateau à 860 mm et celles des extrémités à 400 mm. Sur chaque élément de ceinture, tracez une entaille à mi-bois de 25 mm de largeur dont l'axe se situe à 90 mm de l'extrémité. Découpez les entailles. Tracez et sciez un biais de 12° aux extrémités de chaque élément. Assemblez la structure.

2 Sciez les deux tasseaux de côté du support de plateau (660 mm de long), puis encollez et vissez à 12 mm du bord inférieur de la ceinture. Vissez-les le long des faces avant et arrière du plateau. Sur les faces latérales, sciez et fixez des supports de 150 mm de longueur. Sciez des lattes de 200 mm de longueur qui formeront le plateau. Encollez et vissez ces lattes sur les tasseaux de 660 mm en laissant un espace de 19 mm (voir éclaté).

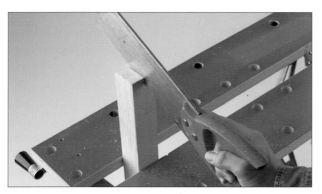

3 Sciez les pieds de 760 mm de long et au sommet de chacun, côté intérieur, évidez une entaille de 75 x 25 mm. Tracez et sciez les traverses de 200 mm de long, encollez et vissez-les dans les entailles en vérifiant l'équerrage des pieds. Sciez quatre taquets que vous fixerez sous le plateau, et qui serviront d'appui à la traverse des pieds.

4 Tracez et sciez les traverses de l'étagère à 560 mm de long, ainsi que ses extrémités à 150 mm de long. Percez des trous pour tourillons au bout de chaque tasseau et des trous correspondants dans les faces internes des montants, et collez les tourillons à l'intérieur. Assemblez et maintenez la structure de l'étagère. Sciez les tasseaux de support de celle-ci (560 mm de long) ainsi que leurs tasseaux d'extrémité (100 mm de long), et assemblez comme pour les supports du plateau. Sciez 14 lattes de 200 mm, et fixez aux supports comme pour le plateau.

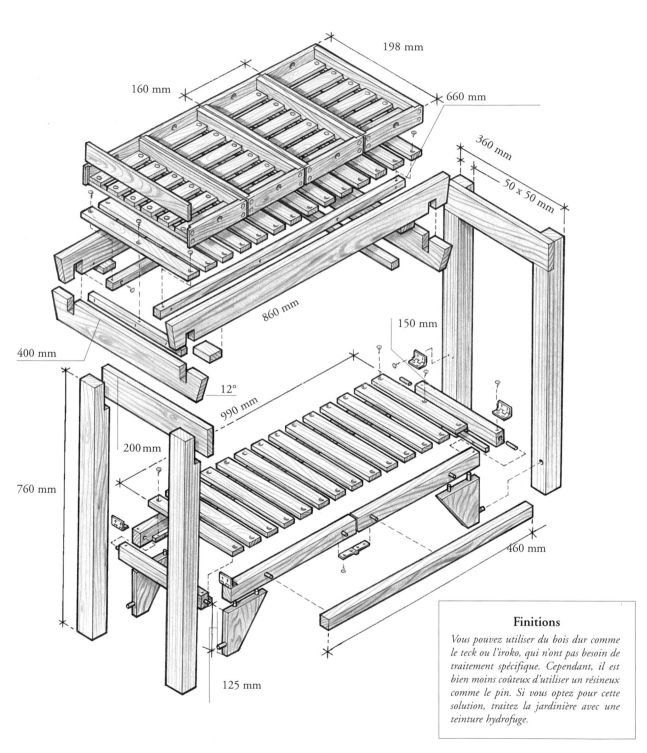

198 mm

160 mm

660 mm

360 mm

50 x 50 mm

860 mm

150 mm

400 mm

12°

990 mm

200 mm

760 mm

460 mm

125 mm

Finitions

Vous pouvez utiliser du bois dur comme le teck ou l'iroko, qui n'ont pas besoin de traitement spécifique. Cependant, il est bien moins coûteux d'utiliser un résineux comme le pin. Si vous optez pour cette solution, traitez la jardinière avec une teinture hydrofuge.

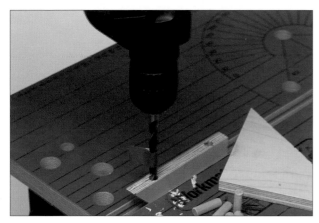

5 Sciez les équerres de renfort à 125 mm de longueur et fabriquez-les comme montré ci-dessus. Percez sur les chants supérieurs de l'équerre des tourillons, et faites les trous correspondants dans les pieds et les traverses escamotables soutenant l'étagère. Assemblez et collez l'équerre uniquement sur son chant supérieur, pour permettre au support d'étagère de se relever. Une fois les tourillons en place, vissez les charnières afin de fixer l'étagère (voir l'éclaté).

6 Sciez la barre stabilisatrice à 460 mm de longueur, percez et insérez les quatre tourillons sur la longueur. Percez des trous correspondants sur le bord des traverses de l'étagère escamotable. Assemblez les pieds et le plateau, et fixez la barre. Ensuite, sciez les huit côtés des boîtes (198 mm) et les huit faces avant et arrière (160 mm). Percez dans les faces avant et arrière des trous facilitant la prise des paniers, et sciez des feuillures de 25 mm à chaque extrémité des faces avant des boîtes pour y emboîter leurs côtés (voir l'éclaté). Encollez et vissez les boîtes (voir l'éclaté), puis sciez les huit supports latéraux à 148 mm de longueur et les huit supports de face des lattes du fond. Fixez-les comme décrit précédemment, puis sciez 24 lattes de 110 mm de longueur et assemblez quatre boîtes.

MATÉRIAUX *(tous les bois seront durs, blancs ou résineux)*

ÉLÉMENTS	NOMBRE	LARGEUR X ÉPAISSEUR LARGEUR X LONGUEUR*	LONGUEUR ÉPAISSEUR*
Bois dur pour la ceinture de plateau, pour les extrémités	2 2	75 x 25 mm	2 520 mm
Bois dur pour les supports des boîtes, l'étagère, le plateau	16 4 4	25 x 25 mm	4 604 mm
Bois dur pour les pieds	4	50 x 50 mm	3 040 mm
Bois dur pour les traverses	2	75 x 25 mm	400 mm
Bois dur pour les lattes de l'étagère supérieure, l'étagère inférieure, les boîtes	14 14 24	25 x 12 mm	6 660 mm
Bois dur pour les côtés des étagères, les extrémités, la barre stabilisatrice	2 2 1	38 x 25 mm	1 880 mm
Bois dur pour les côtés des boîtes pour les faces avant et arrière	8 8	75 x 25 mm	2 864 mm
Contre-plaqué pour les entretoises de l'étagère	4	125 x 500 mm*	12 mm*
Chevillage en bois blanc ou résineux		10 mm de diamètre	1 000 mm
Charnières rabattables	6		
Vis à bois			

voir note p. 7

BROUETTE-JARDINIÈRE

Ce projet est un moyen idéal d'utiliser les chutes ou le contre-plaqué extérieur (CTBX).
Étant donné que cette brouette sera sans doute remplie de terre,
vous n'aurez pas besoin de la raboter et de la scier avec précision.

1 Les côtés, les extrémités et le fond sont fabriqués dans des planches étroites assemblées bord à bord. Rabotez ces planches sur leur chants, puis placez un élément dans un étau et encollez sur la face rabotée. Prenez l'autre planche et encollez d'un mouvement de va-et-vient afin que la colle pénètre bien les fibres du bois. Retirez de l'étau et maintenez par des serre-joints.

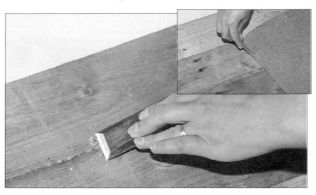

2 Fabriquez la roue à partir de deux planches assemblées de sorte que les cernes de croissance soient placés dans des sens contraires. Rabotez les deux faces accolées pour qu'elles soient bien planes. Encollez généreusement une face, placez la seconde, puis maintenez debout dans des serre-joints. Après séchage, nettoyez tout excédent de colle avec un ciseau à bois. Confectionnez des gabarits pour chaque élément, sauf le fond de la brouette. Lorsque toutes les parties sont encollées, reportez les gabarits sur le bois (voir l'éclaté).

3 Tracez une roue de 240 mm de diamètre. Tracez et percez le trou central (diamètre : 30 mm) en travaillant des deux côtés. Les trous dans les brancards doivent être légèrement surdimensionnés afin de permettre à l'axe l'angle d'écartement dont il aura besoin pour traverser les trois éléments ; servez-vous pour cela d'une mèche de 32 mm, et inclinez légèrement le trou.

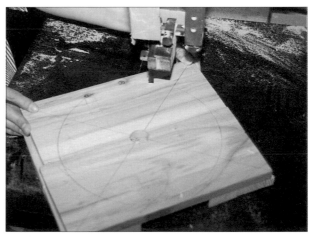

4 Sciez chaque élément à la main ou à l'aide d'une scie à ruban. Biseautez chacune des équerres d'assemblage des faces avant et arrière de la caisse d'un angle d'environ 85°.

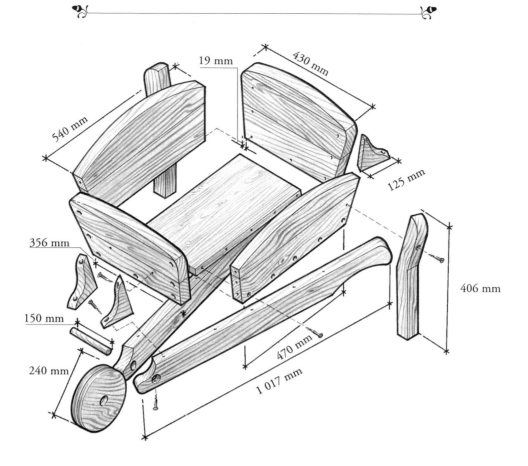

19 mm

430 mm

540 mm

125 mm

356 mm

406 mm

150 mm

240 mm

470 mm

1 017 mm

MATÉRIAUX *(les dimensions correspondent à la découpe)*			
ÉLÉMENTS	NOMBRE	LARGEUR X ÉPAISSEUR	LONGUEUR
Bois pour les brancards	2	75 x 32 mm	2034 mm
Bois pour les pieds	2	75 x 38 mm	812 mm
Bois pour les côtés	2	200 x 25 mm	1080 mm
Bois pour les faces avant et arrière	2	240 x 25 mm	860 mm
Bois pour les renforts	4	100 x 25 mm	500 mm
Bois pour l'arbre	1	25 mm de diamètre	150 mm
Bois pour les roues	1	240 mm de diamètre	32 mm
Vis pour aggloméré		45 mm de diamètre	

Finitions

Pour ce type de projet comportant peu de finitions, vous pouvez traiter le bois avec un vernis protecteur et de la teinture spéciale bois (voir p. 76) ; vous pouvez aussi peindre d'une couleur vive. Renouvelez l'opération tous les ans.

5 À l'aide d'un wastringue, rabotez les zones exposées. Assemblez la caisse en laissant dépasser les faces avant et arrière de 19 mm par rapport aux faces latérales. Au moment de fixer l'ensemble, utilisez des vis pour aggloméré de 45 mm et beaucoup de colle. Biseautez le chant inférieur du fond afin que ce dernier s'emboîte facilement avec les autres éléments, et fixez l'ensemble avec beaucoup de colle et des vis. Rabotez les chants avant et arrière de la caisse, toujours dans un souci d'améliorer le contact entre le fond et les brancards, afin d'avoir une fixation durable.

6 Retournez la caisse, et placez les brancards. L'espace entre les brancards est de 215 mm à l'arrière et 83 mm à l'avant de la caisse. Posez les brancards, leurs extrémités devant dépasser de 198 mm à l'avant. Tracez les emplacements à l'arrière et retirez-les. Percez à l'arrière des avant-trous sur chaque élément de la caisse, puis retournez et fraisez-les. Assemblez les brancards en les enduisant d'une épaisse couche de colle sur les chants supérieurs, mettez la brouette à l'endroit, et vissez. Sciez un axe de 150 mm de longueur. Maintenez-le par des vis (voir l'éclaté).

7 Mettez la roue en place entre les brancards, insérez l'arbre. Prépercez et fraisez les équerres de renfort sur la caisse et fixez. Positionnez les pieds légèrement plus bas que le haut de la caisse et alignez contre le surplomb. Vérifiez l'angle d'inclinaison et fixez l'ensemble avec beaucoup de colle ; vissez les deux côtés.

TABLE DE PIQUE-NIQUE PLIANTE

*Le plateau de cette élégante table est amovible
et ses pieds sont pliants. Elle peut être fabriquée
dans un bois dur indigène ou une essence comme le teck,
l'iroko ou l'aformosia par exemple ;
un résineux devra être traité au vernis hydrofuge.*

Les pieds s'emboîtent dans la structure inférieure du plateau.

69

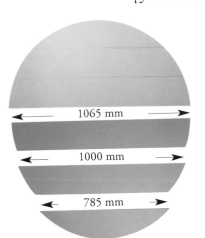

1 Avec une corde de 1065 mm de longueur, dessinez sur un morceau de panneau de fibre médium MDF de 12 mm d'épaisseur un gabarit semi-circulaire d'un rayon de 535 mm. Tracez des lignes espacées de 175 mm. Sciez suivant ces traits de façon à obtenir un gabarit de 1065 mm de longueur, un autre de 1000 mm et un troisième de 785 mm (voir le schéma ci-dessus).

2 Servez-vous de votre gabarit pour reporter les éléments sur le bois, et utilisez une scie sauteuse pour scier les six planches du plateau. Pour confectionner une pièce du plateau, fixez, en dépassant de 3 mm, le gabarit de médium sur le bois avec des vis. En prenant appui sur le gabarit, passez la défonceuse équipée d'une lame affleureuse sur les bordures.

3 Sciez les six éléments de ceinture à 528 mm de longueur. Servez-vous d'une fausse équerre (équerre ajustable) pour tracer un angle de 60° à chaque extrémité, la plus petite marque toujours sur la même face. Coupez les angles à l'aide d'une scie à tenon.

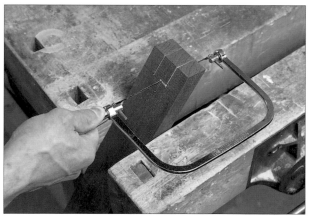

4 À l'aide d'un trusquin, marquez les tenons sur les éléments de ceinture. Sur l'une des extrémités, épaulez un tenon central de 27 mm. À l'autre extrémité, tracez une mortaise de 27 mm de largeur et 27 mm de profondeur, en procédant de la même façon que pour les tenons (voir éclaté).

5 Découpez les tenons à l'aide d'une scie à dos (ou à tenon). Réalisez les mortaises à l'aide d'une scie à chantourner, assemblez les éléments en hexagone, vérifiez que les assemblages s'emboîtent, et numérotez-les. Placez l'hexagone obtenu sur une plaque de médium de 12 mm d'épaisseur, et tracez le contour interne de la ceinture. Retirez les éléments de ceinture et coupez la plaque, puis recoupez les angles de façon à obtenir une prise pour la récupérer.

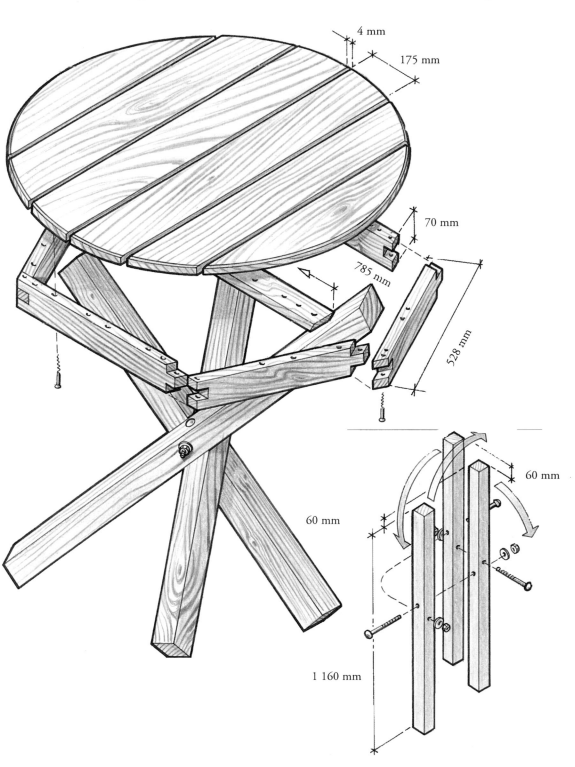

4 mm

175 mm

70 mm

785 mm

528 mm

60 mm

60 mm

1 160 mm

6 Encollez les points d'assemblage, et assemblez la ceinture autour du plateau de médium en suivant la numérotation établie ultérieurement. Maintenez l'ensemble grâce à une sangle à boucle de serrage, et vérifiez que l'assemblage s'emboîte correctement.

7 Tracez et percez un avant-trou dans les assemblages, insérez-y une vis à bois à tête fraisée de 5 x 60 mm, et vissez serré. Récupérez la plaque de médium.

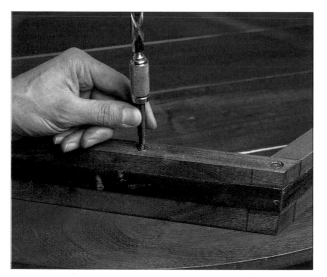

8 Mettez les lattes du plateau en place à l'envers en vous servant de bandes de contre-plaqué de 4 mm pour mesurer leur espacement avec précision. Posez les éléments de ceinture dessus, et percez quatre trous pour les vis à tête fraisée à travers chaque tasseau, en vous assurant qu'ils ne traversent pas le plateau. Utilisez des vis à bois à tête fraisée de 5 x 60 mm pour fixer l'ensemble.

9 Sciez un tasseau de renfort de 785 mm. Tracez puis sciez aux extrémités des angles de 60° selon le même procédé que pour les éléments de ceinture. Positionnez la barre de renfort, à plat, afin qu'elle soutienne chaque élément du plateau, puis percez des trous pour des vis à tête fraisée pour les quatre lattes à l'intérieur de la ceinture, et un pour les deux lattes dépassant de la ceinture. Utilisez des vis à bois à tête fraisée de 5 x 35 mm pour fixer le renfort du plateau.

10 Sciez les pieds à 1 160 mm, équarrissez et marquez l'extrémité supérieure de chacun. Assemblez-les et tracez un trou à 550 mm de l'extrémité haute, ainsi qu'un trou similaire à 550 mm de la base des pieds, sur la surface perpendiculaire (voir l'éclaté). Percez ces trous en vous servant d'un mèche de 9 mm. En suivant scrupuleusement le dessin de la page 71, placez la face d'un pied contre celle d'un autre pied, l'extrémité supérieure du premier à 60 mm sous l'autre, et insérez une vis dans le premier trou supérieur du premier pied, puis vissez la rondelle et l'écrou. Placez le bord de la face du troisième pied sur le bord de côté du premier avec son extrémité supérieure à 60 mm sous celle du premier pied. Insérez une vis dans le trou supérieur du troisième pied et le trou inférieur du premier pied comme précédemment. Vissez l'écrou et la rondelle dans le trou supérieur du deuxième pied. En gardant les pieds ouverts, emboîtez-les sous la ceinture de la table.

Les bois et les finitions

L'idéal pour ce projet est d'utiliser du bois dur, mais faites attention quant au choix de celui-ci. Le teck est très cher et travailler l'iroko peut se révéler dangereux pour votre santé. L'aformosia est une bonne alternative, de même qu'une autre essence d'importation, le tatajuba. Les bois indigènes, comme le chêne et le hêtre,

conviennent également. Si vous avez l'intention d'utiliser un bois blanc ou résineux, chaque élément devra être traité au préalable avec un vernis protecteur. Lorsque vous appliquerez celui-ci, assurez-vous de bien couvrir toutes les surfaces, surtout les zones comme la base des pieds.

MATÉRIAUX *(les dimensions correspondent à la découpe)*

ÉLÉMENTS	NOMBRE	LARGEUR X ÉPAISSEUR LARGEUR X LONGUEUR	LONGUEUR ÉPAISSEUR*
Plaque de fibre (médium MDF) pour le gabarit	1	535 x 11 065 mm*	12 mm*
Bois dur/bois blanc ou résineux traité pour le plateau	6	175 x 20 mm	5700 mm
Bois dur/bois blanc ou résineux traité pour la barre de renfort	1	55 x 20 mm	785 mm
Bois dur/bois blanc ou résineux traité pour la ceinture	6	70 x 25 mm	3168 mm
Bois dur/bois blanc ou résineux traité pour les pieds	3	60 x 60 mm	3480 mm
Vis à bois à tête fraisée galvanisées pour la barre de renfort	10	5 mm de diamètre	35 mm
Vis à bois fraisées galvanisées pour la ceinture	30	5 mm de diamètre	60 mm
Vis et écrou et rondelles (noirs ou galvanisés)	3	8 mm de diamètre	130 mm

* voir note p. 7

LES TRAITEMENTS DU BOIS

*Nous vous conseillons de traiter toutes ces réalisations afin de rehausser l'éclat naturel du bois
et de le protéger ; cette mesure est essentielle pour les réalisations d'extérieur car elles subissent les intempéries.
De nombreux produits sont disponibles sur le marché, du simple vernis aux huiles naturelles.*

Cristaux Van Dyck
*Ces cristaux sont
mélangés à de l'eau pour
créer une couleur riche
(voir p. 76).*

Teintures à base d'huile
*Généralement disponibles dans des
teintes foncées, elles pénètrent le
bois profondément et ont tendance
à glisser sur le grain du bois.*

Les vernis à base d'eau
*Ces vernis acryliques
sont blancs d'aspect et
permettent aux pinceaux
d'être rincés à l'eau.*

Traitements contre les intempéries

Il vous faudra faire face à deux problèmes principaux
concernant la préservation de vos meubles de jardin en
bois : la protection du bois en tant que tel, et l'ajout de
détails de conception qui garantiront une longue durée de
vie à vos réalisations.

Pour l'essentiel, le bois a besoin d'être protégé de l'humidité, des attaques biologiques et du soleil. L'humidité
l'affecte en le faisant éclater et cloquer ; plutôt qu'à la pluie,
ce phénomène est dû à l'action de l'humidité présente à
l'état naturel dans le bois. Elle favorise également les
attaques biologiques en créant un terrain favorable pour les
agents fongiques et bactériologiques : en effet, ces agents
s'activent dès que son taux atteint 22 %. Il faut alors réagir
promptement pour stopper leurs effets néfastes, mais aussi
pour prévenir toute récidive.

Le soleil, ou plus spécifiquement les rayons UV (ultra-
violets), ont un effet très nocif sur la plupart des surfaces
qui leur sont exposées : ils décolorent le bois et dégradent
les surfaces, et cet effet est aggravé lorsqu'il y a présence
d'humidité. Le soleil réchauffe également la température
en surface et entraîne parfois un éclatement du bois et l'ex-
crétion de la résine. Ce phénomène affecte davantage les
bois noirs vernis que, par exemple, les bois blancs peints.

Traitement de préservation

Lorsque l'on travaille le bois, il ne faut jamais sous-estimer
les effets combinés de l'humidité, des attaques biologiques et
du soleil. Le but est de conserver votre meuble aussi sec que
possible tout au long de sa vie, en offrant la meilleure surface
possible pour que les revêtements protecteurs y adhèrent.

Si l'on passe en revue les différents types d'assemblages
susceptibles d'être utilisés en extérieur – fenêtres, portes,
meubles de jardin, jardinières, pergolas, etc. –, le plus fré-
quent est celui à tenons et mortaises. Très solide par
essence, il peut cependant favoriser l'infiltration de l'eau au
cœur du bois. Cela se produit souvent lorsque la colle perd
de son adhérence. Aucune colle n'est éternelle et le bois travaille au rythme des saisons.

Si vous réalisez les tenons soigneusement, vous éviterez
déjà une pénétration trop rapide de l'eau dans l'assemblage,
mais nous ne saurions trop vous recommander de tremper
les embouts (de préférence toute une nuit) dans un produit
hydrofuge avant assemblage. N'attendez pas que le revêtement extérieur s'écaille pour rafraîchir la peinture ou le vernis protecteur.

Presque aussi important que le fait d'empêcher l'eau de
s'infiltrer est celui de permettre à l'eau de s'écouler hors du
bois. C'est pourquoi les traverses inférieures des fenêtres

sont pourvues de gorges de récupération et de trous d'évacuation vers l'extérieur des eaux de condensation. Ce n'est pas parce que la pluie ne peut pas pénétrer à l'intérieur que le bois restera sec. Gardez toujours à l'esprit que la présence continue de l'humidité est un facteur clef de moisissure.

Les rainures et les rebords

La pluie s'infiltre facilement dans les rainures et les rebords, surtout à certaines époques de l'année ; aussi l'ouverture des fenêtres pourra-t-elle se révéler difficile pendant les périodes humides. Pour se débarrasser des gouttes le plus rapidement possible, il existe un système de « goutte d'eau », rainure placée sous le rebord pour faire tomber ces gouttes et éviter leur ruissellement à cet endroit. Il évite à l'eau de couler et de s'infiltrer dans les murs en constituant une sorte de barrière protectrice. La « goutte d'eau » peut être facilement réalisée à l'aide d'une scie circulaire. Les gorges de récupération peuvent être creusées à l'aide d'un rabot particulier, le bouvet à rainure. Pour favoriser l'écoulement, les surfaces doivent être inclinées à 10° et vous pouvez également entailler un second rebord, en escalier, afin que les gouttes de pluie soient repoussées vers l'extérieur.

Une autre méthode permettant d'accroître la longévité est d'utiliser du bois dur ou un aggloméré : ils apportent une protection supplémentaire. Le bois dur possède aussi l'avantage d'être plus solide et de mieux résister aux coups et aux frottements auxquels sont justement exposés les rainures et les rebords, surtout au ras du sol.

La préparation des surfaces

Ce n'est pas parce qu'il s'agit de réalisations d'extérieur que la surface du bois ne doit pas être bien lisse. Une analyse au microscope vous montrera que les imperfections en surface peuvent entraîner un manque d'adhérence sur les arêtes vives et les arrondis, ce qui signifie que l'accrochage du revêtement n'était pas suffisant. Les endroits où cela se produit cloqueront en premier. De même, toutes les arêtes vives devront être arrondies sur au moins 3 mm afin de permettre au revêtement protecteur de bien s'accrocher, et le bois ayant déjà subi des avaries – par son exposition à la pluie et au soleil – sera poncé avant d'être traité à nouveau.

Le taux de l'humidité contenue dans le bois est déterminant pour votre choix. Qu'il s'agisse d'un bois dur ou

Sceller des nœuds
Avant de peindre le bois, scellez les nœuds « vivants » desquels suinte encore la résine en passant au pinceau un produit spécial à base de laque.

Teindre les extrémités
En tenant les tasseaux à la verticale, passez la teinture en tamponnant le bois afin qu'elle en pénètre profondément le grain.

Passer de la teinture uniformément
Travaillez rapidement et uniformément sur chaque face, et éliminez sans attendre toute coulure à l'aide d'un pinceau.

Confectionner les teintures à bois
Les cristaux Van Dyck sont faciles à préparer et à utiliser. Mélangez une dose de cristaux pour cinq d'eau tiède. (Ajoutez de l'eau pour une teinte plus claire et ôtez-en pour une teinte foncée.)

Appliquer de la teinture
Appliquez une couche épaisse de teinture sur le bois. Ne laissez pas sécher entre deux couches, sinon les écarts se verront.

Nettoyer de la teinture
Servez-vous d'un chiffon sec pour éliminer tout excès de teinture et laissez sécher naturellement. Les cristaux Van Dyck pouvant laisser des traces sur la peau et les ongles, portez des gants lorsque vous en appliquez.

résineux, si ce taux est supérieur à 20 %, l'exposer à l'air pourra s'avérer problématique ; cependant, un bois trop sec (8 % d'humidité pour un bois d'intérieur séché au four) craquera rapidement.

Les revêtements

Les produits autrefois connus sous le nom de peintures, vernis et huiles sont maintenant regroupés sous le nom générique de revêtements. Cependant, des différences fondamentales existent au-delà des simples appellations. Là où les gammes de vernis pour l'extérieur se limitaient à certains types de produits à base de solvants, et où il n'existait que des peintures à émulsion ou des laques à base d'huile, les industriels ont fait beaucoup d'efforts pour développer des revêtements moins nocifs vis-à-vis de l'environnement et de l'utilisateur ; ils ont contribué à mettre sur le marché des produits nouveaux, surtout dans le domaine des vernis acryliques.

Il n'est pas toujours aisé de décider quel type de produit utiliser, même si votre choix est souvent facilité par la couleur que vous souhaitez obtenir. Pour établir un classement des produits de finition, nous dirons que les plus durables sont ceux qui laissent le moins apparaître les défauts du bois. Mais ce critère n'est peut-être pas primordial pour des réalisations d'extérieur. De plus, si vous optez pour un bois dur, vous aurez certainement besoin que le revêtement soit moins couvrant afin de pouvoir par la suite passer une nouvelle couche de produit.

De nombreux vernis ou peintures sont plus efficaces lorsque le bois a été préalablement traité avec un enduit de protection, même si ce dernier contient déjà un fongicide. Cela vaut la peine de passer un vernis protecteur, car les fongicides sont plus efficaces lorsqu'ils pénètrent le bois en profondeur. Passez plusieurs couches ou laissez tremper vos éléments durant la nuit. Faites bien attention lorsque vous utilisez ces produits car ils sont très liquides ; cela leur permet de bien pénétrer le fil du bois, mais l'effet pervers est qu'ils s'infiltrent dans les gants et les vêtements.

Les teintures à bois

Une autre solution courante est de remplacer les vernis protecteurs par des teintures à bois ; elles sont recommandées lorsque l'on souhaite une finition colorée, car elles évitent la couche préalable de revêtement et tout traitement compliqué. L'un des grands avantages de ces teintures est que leur pigment agit comme agent absorbant des rayons UV de manière plus efficace que les vernis neutres. En outre, elles permettent à certaines caractéristiques du bois de transparaître. Le but est surtout de faire vite et bien.

Ces teintures permettent aussi d'éviter les problèmes liés à des traitements plus lourds, qui masquent parfois une mauvaise adhérence du produit et donc un pourrissement naissant qui entraînerait à moyen terme un écaillage de la peinture. Il est bon que le bois puisse respirer, surtout celui des réalisations extérieures pour lesquelles la stabilité dimensionnelle n'est pas critique. Sur les réalisations nécessitant des assemblages, le traitement est censé minimiser l'impact du travail du bois au cours des saisons. Il est primordial de trouver le juste équilibre d'élasticité du revêtement afin d'éviter le moisi et les cloques de peinture.

Les vernis acryliques

Disponibles pour les usages en intérieur et en extérieur, ils sont plus doux pour l'environnement que les anciens vernis au polyuréthanne. De plus ils donnent de bons résultats et comportent de sérieux avantages pour les utilisateurs. Étant donné qu'ils sont à base d'eau, ils dégagent peu d'odeur et l'on peut nettoyer sous le robinet les pinceaux. Les vernis acryliques ont une consistance laiteuse lorsqu'ils sont humides, et un fini mat lorsqu'ils sont secs. Ils sèchent rapidement, en une heure généralement, et au bout de quatre heures vous pouvez passer la deuxième couche. Leur excellente durée de vie (environ cinq ans, voire plus) permet un traitement moins ponctuel, tout dépendant des conditions climatiques auxquelles vos accessoires de jardin sont exposés.

Les finis « naturels »

Ces finis qui sont à base d'huile – huile de teck, danoise – procurent un effet plus naturel et peuvent s'utiliser à l'intérieur comme à l'extérieur. S'ils ne protègent peut-être pas tout à fait aussi bien les bois que d'autres vernis protecteurs, ils présentent l'avantage de pouvoir être appliqués encore et encore sans préparation préalable (les derniers modèles sont présentés en spray). Le fini naturel permet au bois de vieillir gracieusement et de développer une patine naturelle, ce qui est très appréciable pour les meubles de jardin de qualité fabriqués dans des bois durs.

Huile danoise sur du chêne
L'huile danoise résiste à l'eau et resserre les pores du bois, lui évitant de se salir. Elle revitalise les vieux bois.

Vernis teint sur du pin du Canada
Le vernis teint possède les mêmes propriétés que le vernis neutre (voir ci-dessous), mais il colore le bois. Plus vous appliquez de couches, plus vous obtiendrez un fini foncé.

Vernis neutre sur du cerisier
Le vernis est idéal pour protéger le bois des éraflures, des marques diverses et du moisi. Il existe des vernis spéciaux pour protéger les bois d'extérieur.

Conservateur coloré sur du séquoia
Un conservateur coloré vous permet de teindre et protéger le bois avec un seul produit. Les variétés qui pénètrent profondément apportent une excellente protection.

Teinture à base de solvant sur du séquoia
Cette teinture colore le bois mais ne le protège pas. Elle est vendue dans le commerce mais vous pouvez la fabriquer vous-même (voir ci-contre). Les teintures à base d'eau sont moins dangereuses pour l'environnement.

INDEX

Les pages *en italique* se réfèrent aux photographies des objets mentionnés.

REMERCIEMENTS

Concepteurs
Bob Piper (Channel Rye Ltd) : Jardinière versaillaise (p. 10)
Table octogonale (p. 20) ; Abri de jardin (p. 36)
Mark Ramuz : Cabane à oiseaux (p. 16)
Frank Delicata : Jardinière carrée (p. 48)
Peter Bishop : Panier de jardinier (p. 26), Fauteuil de jardin (p. 54),
Brouette-jardinière (p. 64)
James Summers (Peral Dot Ltd) : Pergola en pin (p. 42)
Steve Hounslow/James Summers (Pearl Dot Ltd) :
Table de pique-nique pliante (p. 68)

Merci également à Eric Kendall. Nous nous sommes inspirés
de sa rubrique concernant l'étanchéisation
dans le magazine *Traditional Woodworking*
pour notre chapitre concernant les finitions des p. 74-79.

Fournisseurs
Table de pique-nique pliante (p. 68) : remerciements pour la chaise
en métal à The Pier, Londres

Photographes :
Geoff Dann : p. 8, 36, 66, 75-77.
Sampson Lloyd : p. 27, 29, 37, 39-40, 54-55, 64, 69, 70, 72-73.
John Freeman : p. 42-43, 45-46, 60, 61, 63.